本試験型

'25年版

漢字検定

試験問題集

7・8級

成美堂出版

もくじ

本文イラスト■わせもと・ゆうじ

「８級」テスト・さいしんのけいこう

２０２３年度の「８級」の受検《けん》者数は１年間で約《やく》８万８千人で、合格率《かくりつ》は約《やく》82％となっています。９級では、短文中にある「線が引かれた部分の漢字」いくつかの読みを答える問題がありましたが、８級では短文が短くなり、「線が引かれた部分の漢字」ひとつの読みだけを答える問題にかわりました。また、同じ読み方をするちがう意味の漢字を書く問題や送りがなを答える問題が新しくくわわりました。

「７級」テスト・さいしんのけいこう

２０２３年度の「７級」の受検《けん》者数は１年間で約８万９千人で、合格率《かくりつ》は約86％となっています。

平成29年改訂の小学校学習指導《どう》要領《りょう》が２０２０年度から全面し行されたことにともない、漢字検定では一部の漢字の配当級が変更され、今まで２級〜６級配当漢字であった「茨」「媛」「岡」「賀」「潟」「岐」「熊」「群」「香」「佐」「埼」「崎」「滋」「鹿」「城」「縄」「井」「沖」「徳」「栃」「奈」「梨」「阪」「阜」「富」の25字が７級配当漢字となりました（その一方で、23字が７級配当漢字から外れました）。特に７級に加わった漢字は都道府県名に使う漢字ですので、しっかりと覚えましょう。

8級の漢字と内よう

小三で習《なら》う漢字が重要《じゅうよう》

8級の漢字検定《けんてい》では、小学校一年生から三年生までに習《なら》う漢字がつかわれます。

しかし、読み書きの答えを書かなくてはならない問《もん》題《だい》箇所《かしょ》は、ほとんどすべて三年生で習う漢字です。つまり、8級は三年生で習《なら》う漢字の試験《しけん》だといえます。

三年生で習《なら》う漢字は100ページからの「8級の重要《じゅうよう》な漢字」におさめましたので見てください。

読み・書き・部《ぶ》首・書きじゅん

8級の検定《けんてい》は小学校三年生で習う漢字の「読み」「書き」「部《ぶ》首」「書きじゅん」の問題《もんだい》でできています。

読み 読みは、文の中の漢字に読みがなをつけます。同じ字の音読みと訓《くん》読みを問う問題《もんだい》も出ます。三年生までに習う漢字でも、中学校で習う読み方は、問題に出ません。

書き 書きは、文の中の（ ）や□の中に漢字を書き入れます。これには読みは同じでことなる字（同音・同訓《くん》異《い》字）や、はんたい語の問題《もんだい》がふくまれます。

部首 部《ぶ》首は、読みがながついている□の中に、定《さだ》められた部首の漢字を書き入れます。

書きじゅん 書きじゅんは、漢字のどこか一画が太くなっていて、そこを何番めに書くかを数字で答えます。

	ていど	りょういき	内よう
8級	小学校3年生までの学習《しゅう》漢字をりかいし、文章《しょう》の中で使えるようにする。	読むことと書くこと	1．小学校3年生までの学習《しゅう》漢字を読み、またそのだいたいを書くことができる。 ●音読みと訓《くん》読みをりかいすること。 ●はんたい語のだいたいがわかること。 (始《はじ》め—終《お》わり、軽《かる》い—重《おも》い、など) ●送りがなに注意して書くこと。 (投《な》げる、開《あ》ける、集《あつ》める、など)
		書きじゅん 部《ぶ》　首	2．書きじゅん、画数を正しくりかいする。 3．へん、かんむり、つくりなどをりかいする。

7級の漢字と内よう

小四で習う漢字が重要《よう》

7級の漢字検定《けん》では、小学校一年生から四年生までに習う漢字が使われます。

しかし、読み書きの答えを書かなくてはならない問題箇所《か》は、ほとんどすべて四年生で習う漢字です。つまり、7級は四年生で習う漢字の試験だといえます。四年生で習う漢字は114ページからの「7級配当漢字表」におさめましたので見てください。

読み・書き・部首・対義語《ぎ》など

7級の検定は小学校四年生で習う漢字の「読み」「書き」「部首」「筆順《じゅん》・画数」「対義語《ぎ》」「送りがな」などの問題でできています。

読み　読みは、文中の漢字の読みを書きます。同じ字の音読み・訓《くん》読みを問う問題も出ます。

書き　書きは、文中のカタカナを漢字に書きなおします。

部首　部首は、□の中に、定められた部首の漢字を書き入れます。

筆順・画数　筆順《じゅん》は、漢字の太くなっている一画の筆順を、また、画数は漢字の画数を数字で答えます。

対義語　対義語《ぎ》は、上の二字じゅく語と意味が反対や対《つい》になる下のことばの□を一字うめる問題です。

送りがな　送りがなは、文中のカタカナ部分を漢字と送りがなにします。

	ていど	りょういき	内よう
7級	小学校4年生までの学習漢字を理解《かい》し、文章の中で正しく使えるようにする。	読むことと書くこと	1．7級配当漢字が読める。 2．7級配当漢字がだいたい書ける。 ●音読みと訓《くん》読みを理解《かい》すること。 ●対義語のだいたいがわかること。 ●同音・同訓異字を理解《かい》する。 ●三字じゅく語を理解《かい》すること。 ●送りがなに注意して正しく書くこと。
		筆順《じゅん》	3．点画《てんかく》にも注意する。
		部首	4．あし、かまえ、にょうを理解《かい》する。

級別《きゅうべつ》出題《だい》内よう（一例）

「－」は出題されません。
準２級以上と９、10級はりゃく。

内よう／級	短文中の漢字の読み	筆順・画数	漢字えらび	部首・部首名	熟語《じゅく》の構成《こうせい》	おくりがな	対義《ぎ》語・類義《ぎ》語	三・四字熟《じゅく》語	同音・同訓異《い》字《じ》	誤《ご》字訂《てい》正	短文中の書き取り	漢字数
8級	短文中の漢字の読み	筆順・画数	－	同じ部首の漢字	－	おくりがな	対義語	－	同音・同訓異字	－	短文中の書き取り	四四〇字
7級	短文中の漢字の読み	筆順・画数	漢字えらび	同じ部首の漢字	－	漢字とおくりがな	対義語	二字熟語	同音・同訓異字	－	短文中の書き取り	六四二字
6級	短文中の漢字の読み	筆順・画数	漢字えらび	部首・部首名	熟語の構成	漢字とおくりがな	対義語・類義語	三字熟語	同音・同訓異字	－	短文中の書き取り	八三五字
5級	短文中の漢字の読み	筆順・画数	漢字えらび	部首・部首名	熟語の構成	漢字とおくりがな	対義語・類義語	四字の熟語	同音・同訓異字	－	短文中の書き取り	一、〇二六字
4級	短文中の漢字の読み	－	漢字識別	部首・部首名	熟語の構成	漢字とおくりがな	対義語・類義語	典拠のある四字熟語	同音・同訓異字	誤字訂正	短文中の書き取り	一、三三九字
3級	短文中の漢字の読み	－	漢字識別	部首	熟語の構成	漢字とおくりがな	対義語・類義語	典拠のある四字熟語	同音・同訓異字	誤字訂正	短文中の書き取り	一、六二三字

受検級《じゅけんきゅう》のめやす

※９、10級はりゃく。

8級	7級	6級	5級	4級	3級	準2級	2級	準1級	1級

学生・社会人（8級～1級）
高校３年生（8級～2級）
高校１～２年生（8級～準2級）
中学３年生（8級～3級）
中学２年生（8級～4級）
中学１年生（8級～5級）
小学４～６年生（8級～6級）

本書は出題が予想される形式で構成しています。実際の試験は、日本漢字能力検定協会の審査基準の変更の有無にかかわらず、出題形式や問題数が変更されることもあります。

採《さい》点のきじゅん

常《じょう》用漢字表外は×

8級、7級では、常《じょう》用漢字表にない漢字や読み方は使いません。たとえば「はたけ」の漢字は「畑」が正しく、「畠」は常《じょう》用漢字外の字でバツです。また、「家」を「うち」、「角」を「すみ」などと読むのも常《じょう》用漢字表にない読み方です。

一画一画をていねいに

答えの漢字は、点や画を正しく、はっきりと書かなくてはいけません。くずした字、らんぼうに書いた字は、バツになります。

一画一画、はねるところ、とめるところ、はなして書くところなども、きびしくチェックされます。

はねる

教科書の字体が◎

字体としては、小学校の教科書につかわれている文字の字体が、採《さい》点のきじゅんになっています。本書のテストと答えは教科書体をつかっていますので、参《さん》考にしてください。

他《た》のきじゅん

送《おく》りがな 「送《おく》り仮名《がな》の付《つ》け方」（内閣告示《ないかくこくじ》）によります。

書きじゅん 「筆順指導《ひつじゅんしどう》の手《て》びき」がきじゅんになります。

部首 「漢検要覧《けんようらん》2～10級対応《たいおう》改《かい》訂版《ていばん》」（日本漢字能《のう》力検《けん》定協会《きょうかい》発行）で示《しめ》しているものを正解としています。

このような字は×
（州）
（悪）
（関）
（第）
てん
式 求 代
はねる
化 丁 付
とめる
深 相 科
つづけない
欠（1～2画）
不（1～2画）
路（6～7画）
教科書体
追 冷 表
明朝《みんちょう》体
追 冷 表

申し込《こ》みから合格《かく》発表まで

受検資格《けんしかく》 小学校、中学校、高等学校、専《せん》門学校などの生徒から大学生、社会人まで、だれでも受けることができます。

検定料《けんりょう》 変《か》わることがあるので検《けん》定協《きょう》会に確かめてください。

申込方法《こみほう》 個《こ》人で受検《けん》する場合は日本漢字能《のう》力検《けん》定協《きょう》会のホームページから申し込《こ》みを行います。

受験方法《けんほう》 ①「公開会場」での受検《けん》、②「漢検《けん》CBT」（自分の都合の良《よ》い日程《てい》でテストセンターで受検《けん》。7級のみ）、③「漢検《けん》オンライン（個《こ》人受検《けん》）」（自宅《たく》で受検《けん》。タブレットなどが必要《ひつよう》）の三種類《しゅるい》があります。以降《いこう》は①「公開会場」での受検《けん》について説明します。

申込期間《こみ》 検《けん》定日の約《やく》二か月前から一か月前までのあいだ。申込締切《こみしめ》日までは「マイページ」上で住所や受検《けん》地などの変更《へんこう》ができます。

検《けん》定日 毎年三回定期的《てき》に行われています。

受検《けん》会場 全国の主な都市。

検《けん》定時間 8級は四十分、7級は六十分です。

合格《かく》発表 検《けん》定日から約《やく》五日後に標準解《ひょうじゅんかい》答が、また約《やく》三〇日後にはweb上で合否《ひ》がわかります。検《けん》定日から約《やく》四十日後、合格《かく》者には合格証《かくしょう》書、合格証《かくしょう》明書、検《けん》定結果《けっか》通知などが、また不《ふ》合格《かく》者には検《けん》定結果《けっか》通知が郵《ゆう》送されます。

合かくきじゅん

8級は正答80％ていど以上
7級は正答70％ていど以上

8級は、百五十点満《まん》点で百二十点ていど以《い》上を取れば合格《かく》です。正答率《りつ》八十パーセントていどが合格《かく》ラインとなっています。

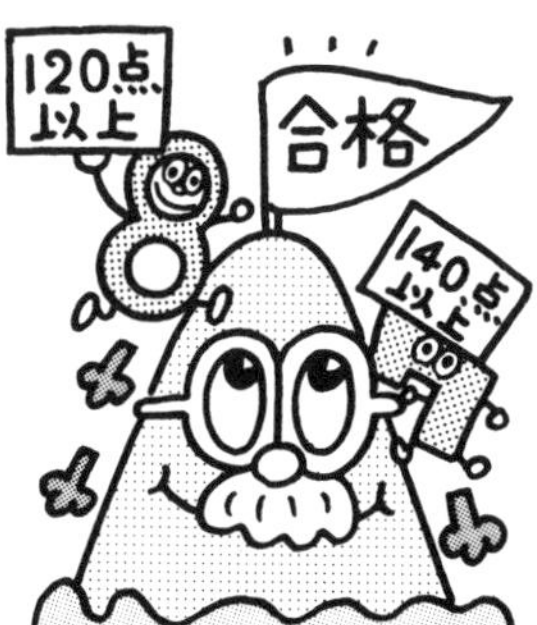

7級のほうは、二百点満《まん》点で百四十点ていど以《い》上を取れば合格《かく》です。正答率《りつ》七十パーセントていどが合格《かく》ラインとなっています。

テストに入る前に

① テストに取りかかる前に、
8級の人は100ページからの「8級の重要《じゅうよう》な漢字」を、
7級の人は114ページからの「7級配当漢字表」を、
読んでおくことをおすすめします。

② 答えは、一字一字ていねいに書きましょう。

③ 8級のテストは40分です。
7級のテストは60分です。
時間を守りましょう。

④ 自分の答えを、別冊《べっさつ》の答えと、てらしあわせて、自分で採《さい》点しましょう。

⑤ まちがえたところは、二度とまちがえないように心がけましょう。

●漢字検定についての問い合わせ先

＊申込方法は、いろいろあるので、電話やホームページなどでかくにんしてください。
＊検定日、申込期間、検定料などは変わることがあるので、次のところで必ずたしかめてください。

公益財団法人 日本漢字能力検定協会
本　　部　〒605-0074 京都市東山区祇園町南側551番地
ホームページ　https://www.kanken.or.jp/

＊ホームページにある「よくある質問」を読んであてはまる質問がみつからなければ、「お問い合わせはこちらから」をクリックしてメールでお問い合わせください。
＊電話でのお問い合わせ窓口は0120-509-315（無料）です。

 本書の情報は2024年10月現在のものです。

8級

第1回★テスト【40分】

◆150点まん点
120点いじょう合かく

◆合計とく点
（　　）点

1×30＝30
点

（一）つぎの――線の**漢字**の**読みがな**を答えのらんに書きなさい。

1 かぜをひいて寒気がする。
2 駅前にタクシーがとまっている。
3 父は内科医院をけいえいしている。
4 家の近所に飲食店ができた。
5 子ども用の飲み薬がある。
6 毎朝八時に登校する。
7 体育の時間になわとびをした。
8 門の横に大きな木がある。
9 今日はうさぎ小屋のそうじ当番だ。
10 三年生全員で社会科見学に行く。
11 ビルの屋上はながめがいい。
12 ミツバチがみつを運ぶ。
13 中学生の兄のかばんはとても重い。
14 長い階だんを一気にかけ下りた。
15 ろうかで転んでしまった。
16 子ども達《たち》におやつを配る。
17 広場の中央にふん水がある。

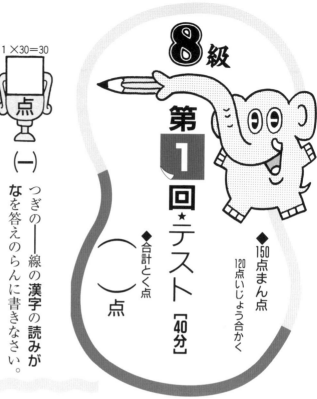

18 友だちを集めてゲームをした。（　　）

19 十月十日に運動会がある。（　　）

20 川岸でメダカのむれをながめた。（　　）

21 町に新しい温水プールができた。（　　）

22 ぼくはこの夏、泳げるようになった。（　　）

23 川の流れに身を委ねる。（　　）

24 家族で花火見物に出かける。（　　）

25 きゅうきゅう車が病院にいそぐ。（　　）

26 花びんに水を注ぎ入れる。（　　）

27 学校の遠足で水族館に行った。（　　）

28 意外にも強いチームがまけた。（　　）

29 冬は指先がつめたい。（　　）

30 悪いことをしてしかられた。（　　）

1×10=10

（二）

つぎの漢字の**太いところ**は、**何番め**に書きますか。〇の中に**数字**を書きなさい。

登……1 〇

第……2 〇

定……3 〇

島……4 〇

帳……5 〇

都……6 〇

炭……7 〇

湯……8 〇

庭……9 〇

駅……10 〇

2×5＝10

点

(三)

（　）の中に**漢字**を書いて、上と**はんたいのいみのことば**にしなさい。

1 長い―（　）《みじか》い

2 かた方―（　）《りょう》方

3 和食―（　）《よう》食

4 ねる―（　）《お》きる

5 ふく習―（　）《よ》習

2×10＝20

点

(四)

おなじなかまの漢字を□の中に書きなさい。

にんべん（亻）…1 □《じゅう》所・2 □《だい》表者

さんずい（氵）…3 □《あぶら》紙・多数 4 □《けつ》

きへん（木）…大 5 □《こん》・6 □《うえ》木

たけかんむり（⺮）…口 7 □《ぶえ》・玉手 8 □《ばこ》

しんにょう しんにゅう（⻌）…9 □《へん》事・10 □《お》いこす

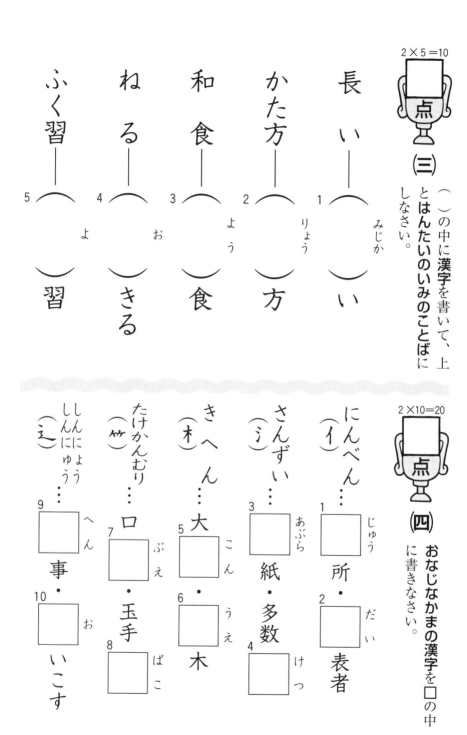

2×10=20

点

（五）

つぎの（　）の中に**漢字**を書きなさい。

あしたから交通1（　）《あん》全週間だ。

九九を2（　）《あん》記する。

食後にかぜ薬を3（　）《ふく》用する。

4（　）《ふく》引きで、けいひんをもらう。

ちょっぴり5（　）《ひ》肉をこめて言う。

うれしい6（　）《ひ》鳴をあげる。

とけいの7（　）《びょう》しんを少しもどす。

日しゃ8（　）《びょう》にかかった。

いまの気温は9（　）《ひょう》点下三度です。

火星の10（　）《ひょう》面をさつえいする。

2×5=10

点

（六）

つぎの――線の**カタカナ**を○の中の**漢字**と**おくりがな（ひらがな）**で□の中に書きなさい。

〈れい〉（少）数が**スクナイ**。　少ない

1 （速）クラスで一番走るのが**ハヤイ**。 □

2 （育）親鳥がひなを**ハグクム**。 □

3 （実）庭にミカンが**ミノル**。 □

4 （写）山の風けいを画用紙に**ウツス**。 □

5 （集）会場に人がおおぜい**アツマル**。 □

1×10＝10

点

（七）

つぎの——線の漢字の読みがなを——線の右に書きなさい。

1 ツルはとぶ前に助走する。

2 こまっている人を助ける。

3 山の上から町全体を見わたす。

4 ぼくもきみと全く同じ考えだ。

5 ペットの世話をしている。

6 世の中のことが少し分かってきた。

7 他人のことが気になる。

8 他の人の気持ちを考える。

9 習字教室に通う。

10 野球のルールを習う。

2×20＝40

点

（八）

つぎの□の中に漢字を書きなさい。

1 近くの 1 □《けん》立公園には大きな 2 □《みずうみ》がある。

2 3 □《きょ》年の冬は 4 □《さいわ》いにもあまり雪はふらなかった。

3 カーニバルの人たちが、金や 5 □《ぎん》のお 6 □《めん》をつけている。

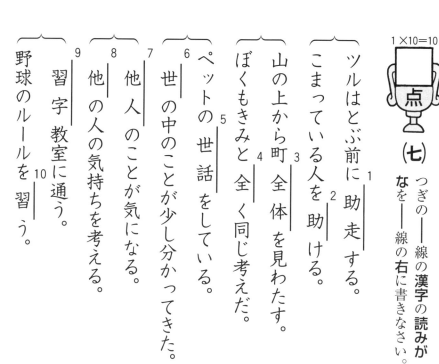

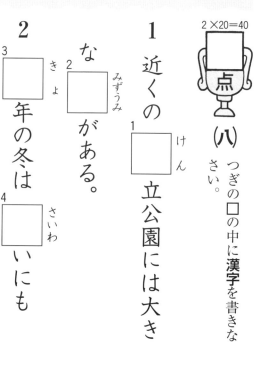

4 わか7□《ば》の8□《みどり》色がうつくしい。

5 電車が9□《てっ》10□《きょう》をわたっていった。

6 あらしがきて、船は11□《きゅう》に12□《みなと》へひきかえした。

7 兄は大学で文学の13□《けん》14□《きゅう》をしている。

8 倉《そう》15□《こ》のかぎを16□《かかり》の人にあずけた。

9 大きな荷物を運ぶ作17□《ぎょう》をして、息が18□《くる》しくなった。

10 上19□《きゅう》生になっても20□《きみ》とは友だちだ。

正しい答えは、べっさつの2ページ

8級 第2回★テスト【40分】

◆150点まん点
120点いじょう合かく

◆合計とく点
（　　）点

1×30＝30
点

（一）つぎの――線の**漢字の読みがな**を答えのらんに書きなさい。

1 苦い薬をがまんしてのんだ。（　　）
2 正月休みのあと三学期が始まる。（　　）
3 しゅくだいが終わったらあそぼう。（　　）
4 小川に丸太の橋がかかっている。（　　）
5 パソコンでメールを送る。（　　）
6 プロ野球せんしゅになりたい。（　　）
7 勝利《り》の決め手となる点を取った。（　　）
8 今日の一時間目は学級会だ。（　　）
9 クラスの図書委員をしている。（　　）
10 お客さまにお茶を出した。（　　）
11 母といっしょに市役所へ行った。（　　）
12 「幸福の王子」という本を読んだ。（　　）
13 明日から夏休みだと思うと心が軽い。（　　）
14 しあいでは三本ヒットを打った。（　　）
15 母が魚の切り身をやいている。（　　）
16 次の日曜日は兄のたんじょう日だ。（　　）
17 ひざをすりむき少し血が出た。（　　）

18 薬局でばんそうこうを買った。（　　）
19 明日はサッカーをする予定だ。（　　）
20 風上に向かって歩いていく。（　　）
21 兄は作曲家になるのがゆめだ。（　　）
22 日をあびた雪原が銀色にかがやく。（　　）
23 車に注意して通学しよう。（　　）
24 男の子を「君」づけでよぶ。（　　）
25 先生になやみごとを相談した。（　　）
26 工作の道具をかたづけた。（　　）
27 えんぴつを筆箱にしまう。（　　）
28 校門で友だちと待ちあわせる。（　　）
29 家族そろって夕はんを食べた。（　　）
30 家族で妹のお宮まいりに行く。（　　）

1×10＝10

点

(二)

つぎの漢字の**太いところ**は、**何番め**に書きますか。〇の中に**数字**を書きなさい。

1 童 …… 〇
2 平 …… 〇
3 皮 …… 〇
4 発 …… 〇
5 氷 …… 〇

6 農 …… 〇
7 鼻 …… 〇
8 動 …… 〇
9 筆 …… 〇
10 部 …… 〇

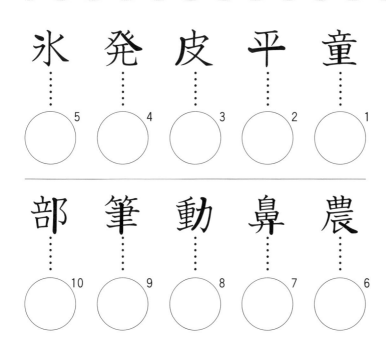

2×5＝10

点

(三)

（　）の中に漢字を書いて、上とはんたいのいみのことばにしなさい。

明るい――1（　）《くら》い

たて書き――2（　）《よこ》書き

寒　風――3（　）《おん》風

地下室――4（　）《おく》上

よろこぶ――5（　）《かな》しむ

2×10＝20

点

(四)

おなじなかまの漢字を□の中に書きなさい。

てへん（扌）…1□《とう》書・2□《ゆび》人形

いとへん（糸）…3□《みどり》色・4□《ほそ》長い

さんずい（氵）…水5□《えい》・6□《りゅう》行語

くさかんむり（艹）…青7□《ば》・8□《に》馬車

こころ（心）…9□《きゅう》行・空10□《そう》

(五) つぎの（　）の中に**漢字**を書きなさい。

2×10＝20 点

太平1（よう）は大きな海だ。

2（よう）毛は、毛糸の原料にされる。

地名の3（ゆ）来を調べる。

石4（ゆ）ランプをつける。

西の5（ほう）角に日がしずむ。

ラジオ6（ほう）送をきく。

湖で7（ゆう）らん船に乗る。

おじは地元の8（ゆう）力者である。

9（よう）気な人は、人にすかれる。

兄弟同10（よう）につきあう友がいる。

(六) つぎの――線の**カタカナ**を○の中の**漢字**と**おくりがな（ひらがな）**で□の中に書きなさい。

2×5＝10 点

〈れい〉(少)数が**スクナイ**。［少ない］

1 (美) **ウツクシイ**景《け》色を楽しんだ。［　　］

2 (深) 木の葉がおち、秋が**フカマル**。［　　］

3 (助) 力の弱い人を**タスケル**。［　　］

4 (整) つくえの上を**トトノエル**。［　　］

5 (進) ゆっくり**ススム**行列をながめた。［　　］

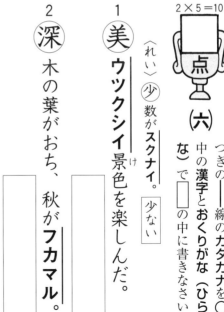

1×10＝10 点

(七)

つぎの——線の**漢字**の**読みがな**を——線の**右**に書きなさい。

東京の学校へ [1]転校 する。

マンガを見てわらい [2]転 げる。

[3]先着 じゅんにならんでください。

ジャンパーを [4]着 て出かける。

あたりに [5]汽笛 がひびきわたる。

[6]口笛 をふいて犬をよぶ。

おかしの [7]代金 をはらう。

[8]代 わり番こにボールをうつ。

家の [9]都合 で秋田へ引っこす。

ウィーンは、音楽の [10]都 といわれる。

2×20＝40 点

(八)

つぎの□の中に**漢字**を書きなさい。

1 今日は [1]□《じん》社のお[2]□《まつ》りに行った。

2 親鳥はひなを大[3]□《じ》に[4]□《まも》ってそだてる。

3 いつでもみがけるように[5]□《は》ブラシを[6]□《も》っている。

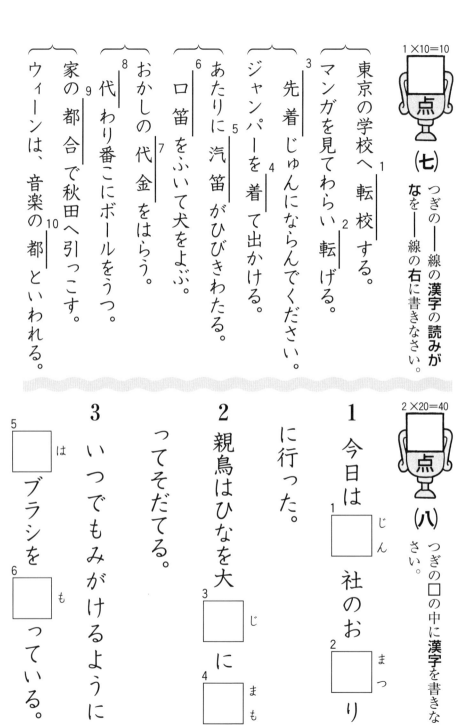

4 お［7］《い》［8］《しゃ》さんになって病人をすくいたい。

5 道に［9］《お》ちていたさいふを［10］《ひろ》った。

6 毎日ピアノの［11］《れん》［12］《しゅう》をしている。

7 大［13］《こん》のなえを畑に［14］《う》えて水をまいた。

8 ハムスターの［15］《いのち》は［16］《みじか》いそうだ。

9 あまりの［17］《あつ》さに体［18］《ちょう》をくずした。

10 歩く［19］《そく》［20］《ど》を少しゆるめる。

正しい答えは、べっさつの4ページ

8級　第3回★テスト【40分】

◆150点まん点
120点いじょう合かく

◆合計とく点（　　）点

1×30＝30

点

(一)　つぎの――線の**漢字**の**読みがな**を答えのらんに書きなさい。

1 冬になると湖に白鳥がやって来る。（　　）

2 母があま酒を作ってくれた。（　　）

3 強風で電柱がたおれた。（　　）

4 父を空港までむかえに行った。（　　）

5 赤ちゃんがよちよちと歩き始めた。（　　）

6 五時間目は習字の時間だ。（　　）

7 本屋さんで詩集を買った。（　　）

8 姉はバイオリンが上手だ。（　　）

9 まるで死んだようにねむりこむ。（　　）

10 たまごを使っておかずを作る。（　　）

11 「子じか物語」というえい画を見た。（　　）

12 悲しい歌を聞くとなみだがこぼれる。（　　）

13 今度こそしっぱいしないようにしよう。（　　）

14 兄は春から大学に進学する。（　　）

15 父も母も会社で仕事をしている。（　　）

16 近所の公園で花を写生した。（　　）

17 予期に反した結果《けっか》となった。（　　）

18 教科書を音読するよう指名された。（　　）
19 夏休みに船で九州まで行く。（　　）
20 今ごろ事実を知らされた。（　　）
21 空高くとんでいく鳥を見送った。（　　）
22 石が落ちてきて道をふさいだ。（　　）
23 秋になると木の葉が赤く色づく。（　　）
24 わたしは古い切手を集めている。（　　）
25 古いデータを消去する。（　　）
26 店に天ぷら油を買いに行く。（　　）
27 炭を使って肉を焼《や》く。（　　）
28 南の海上で強い台風が発生した。（　　）
29 テストが百点だったので鼻が高い。（　　）
30 ちこくした理由を先生に話した。（　　）

1×10=10

点

(二)

つぎの漢字の**太いところ**は、**何番め**に書きますか。○の中に**数字**を書きなさい。

1 放……○
2 旅……○
3 命……○
4 有……○
5 葉……○
6 遊……○
7 勉……○
8 面……○
9 流……○
10 緑……○

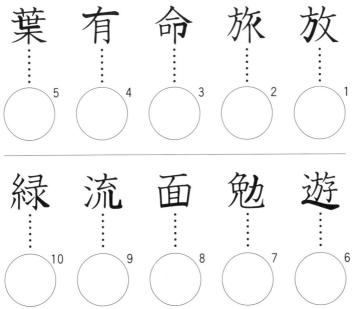

2×5＝10

点

（三）

（　）の中に漢字を書いて、上とはんたいのいみのことばにしなさい。

直線―1（　）《きょく》線

か車―2（　）《きゃく》車

水―3（　）《ゆ》

ゆっくりと―4（　）《いそ》いで

前回―5（　）《じ》回

2×10＝20

点

（四）

おなじなかまの漢字を□の中に書きなさい。

こざとへん（阝）…1□《よう》光・音2□《かい》

たけかんむり（⺮）…本3□《ばこ》・4□《ふで》先

しょくへん（𩙿）…5□《いん》食・体育6□《かん》

うかんむり（宀）…7□《やす》物・8□《てい》休日

まだれ（广）…金9□《こ》・家10□《てい》

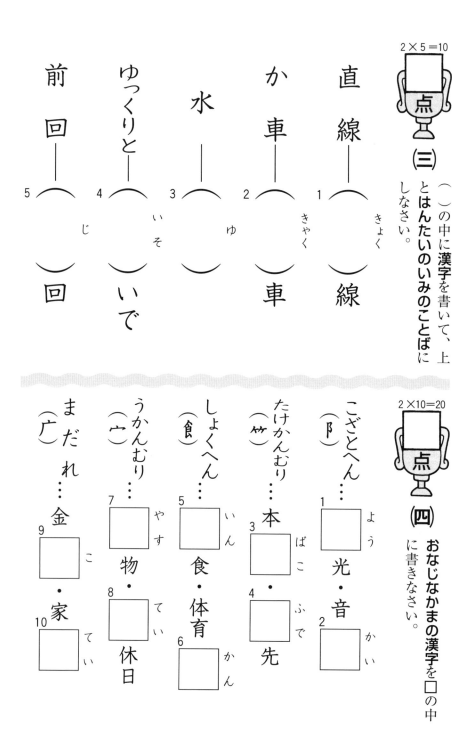

2×10＝20

点

(五) つぎの（　）の中に漢字を書きなさい。

1 自（どう）はんばいきでジュースを買う。

2 妹に（どう）話を読んであげる。

3 （かん）中水泳にさんかする。

4 「（かん）心な子だ」とほめられた。

5 ゲームセンターの（かい）店をまつ。

6 世（かい）の人となかよくしたい。

7 おとなになったら船（いん）になりたい。

8 兄は大学（いん）に通っている。

9 じょうずな歯（い）者さんがいい。

10 一人ずつ自分の（い）見をのべる。

2×5＝10

点

(六) つぎの――線のカタカナを○の中の漢字とおくりがな（ひらがな）で□の中に書きなさい。

〈れい〉（少）数が**スクナイ**。　少ない

1 （投）ボールを遠くへ**ナゲル**。

2 （短）**ミジカイ**冬休みが終わった。

3 （育）弟といっしょにカマキリを**ソダテル**。

4 （登）遠足で高い山に**ノボル**。

5 （転）ボールが長い坂道を**コロガル**。

1×10＝10

点

(七)

つぎの——線の**漢字**の**読みがな**を——線の**右**に書きなさい。

母に、1心配をかけた。

みかんを一つずつ2配る。

朝早くおきるのは3平気だ。

すしを二人前4平らげる。

足し算の式を5黒板に書く。

ぶあつい6板をこぶしでわる。

一対一で7勝負する。

強いチームを8負かした。

本の9表紙の絵がおもしろい。

ふうとうの10表書きをする。

2×20＝40

点

(八)

つぎの□の中に**漢字**を書きなさい。

1 地球の1□《おん》2□《か》をふせぐ。

2 ここは3□《むかし》は4□《しゅく》場町だった。

3 5□《ぎん》行の通6□《ちょう》をなくさないよう気をつける。

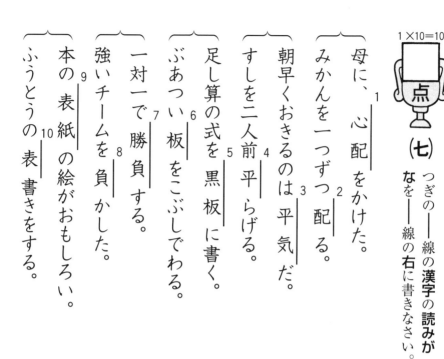

4 友人の7□《す》んでいる8□《ところ》を調べる。

5 駅前の9□《やっ》10□《きょく》に立ちよる。

6 高11□《そく》道12□《ろ》の出口はもうすぐだ。

7 父の実家は13□《のう》14□《ぎょう》をいとなんでいる。

8 南の海に15□《うつく》しい16□《しま》がうかんでいる。

9 おおみそかだけ17□《しん》夜まで18□《お》きている。

10 海岸で19□《かい》がらを20□《ひろ》って家に持ち帰る。

正しい答えは、べっさつの6ページ

8級

第4回★テスト【40分】

◆150点まん点
120点いじょう合かく

◆合計とく点
（　　）点

1×30＝30
点

（一）つぎの——線の**漢字**の**読みがな**を答えのらんに書きなさい。

1 冬休みが終わりに近づいた。（　　）
2 学校で習った漢字を暗記する。（　　）
3 カードに一まいずつ番号をつけた。（　　）
4 つくえの上を整理した。（　　）
5 ぼくの父さんは気が短い。（　　）
6 書いた文章を読みなおす。（　　）
7 リモコンの電池を全部とりかえた。（　　）
8 昭和は六十四年まである。（　　）
9 この家に十年住んでいる。（　　）
10 友達《だち》と校庭でおにごっこをした。（　　）
11 高山植物を大切にする。（　　）
12 一面に畑が広がっている。（　　）
13 身長が一年で十センチのびた。（　　）
14 クラスで一番足が速い。（　　）
15 商店が大売り出しでにぎやかだ。（　　）
16 体重がふえるのを気にする。（　　）
17 人間はみな平等だ。（　　）

18 台所で母が米をといでいる。
19 あぶないところを助けてもらった。
20 テストが全て終わった。
21 町の中央に大きな公園がある。
22 新緑の山がとてもきれいだ。
23 マラソンをして息がきれた。
24 本を読んで感想文を書いた。
25 秋にはりんごやかきが実る。
26 うれしい気持ちが顔に表れた。
27 三の六倍は十八だ。
28 坂の上に白い家がたっている。
29 お正月に黒豆を食べた。
30 竹を切って横笛を作った。

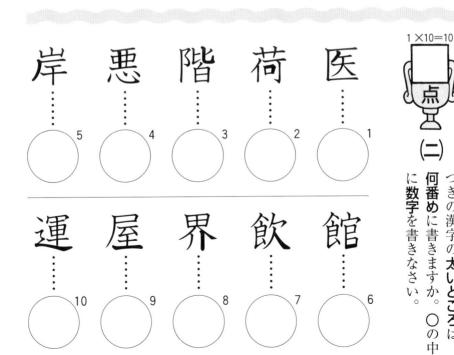

1×10=10

点

(二) つぎの漢字の**太いところ**は、**何番め**に書きますか。○の中に**数字**を書きなさい。

1 医
2 荷
3 階
4 悪
5 岸
6 館
7 飲
8 界
9 屋
10 運

2×5＝10
□点

（三）

（　）の中に漢字を書いて、上と**はんたいのいみのことば**にしなさい。

1 葉先―（　）《ね》元

2 あさい―（　）《ふか》い

3 元気―（　）《びょう》気

4 客人―（　）《しゅ》人

5 すてる―（　）《ひろ》う

2×10＝20
□点

（四）

おなじなかまの漢字を□の中に書きなさい。

ぎょうにんべん（彳）… 1□《やく》目・期2□《たい》

ほうへん（方）… 3□《たび》人・家4□《ぞく》

かねへん（釒）… 5□《ぎん》行・6□《てつ》道員

はつがしら（癶）… 7□《と》山・出8□《ぱつ》点

しめすへん（礻）… 幸9□《ふく》・朝10□《れい》

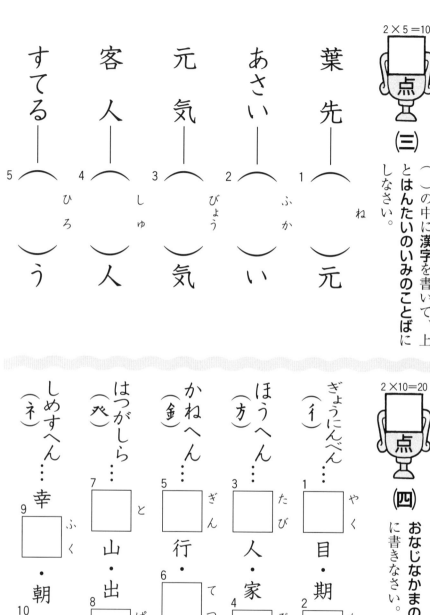

(五)

2×10＝20

点

つぎの（　）の中に**漢字**を書きなさい。

1 父は王（　）《きゅう》に出入りしている。

2 父は（　）《きゅう》用があって出かけた。

3 大きな船がゆっくり入（　）《こう》する。

4 船の進行方（　）《こう》をかえる。

5 学級委員を多数（　）《けっ》でえらぶ。

6 ころんで鼻から出（　）《けっ》する。

7 電話の市外（　）《きょく》番をしらべる。

8 ピアノえんそうの（　）《きょく》目をきめる。

9 いっせいに（　）《き》立しておじぎする。

10 まもなく二学（　）《き》がはじまる。

(六)

2×5＝10

点

つぎの——線の**カタカナ**を〇の中の**漢字**と**おくりがな（ひらがな）**で□の中に書きなさい。

〈れい〉（少）数が**スクナイ**。 少ない

1 （定） 新しいほうりつを**サダメル**。

2 （反） とくいげにむねを**ソラス**。

3 （悲） **カナシイ**話になみだをながす。

4 （泳） 夏休みに近所にあるプールで**オヨグ**。

5 （調） 虫の名前を図かんで**シラベル**。

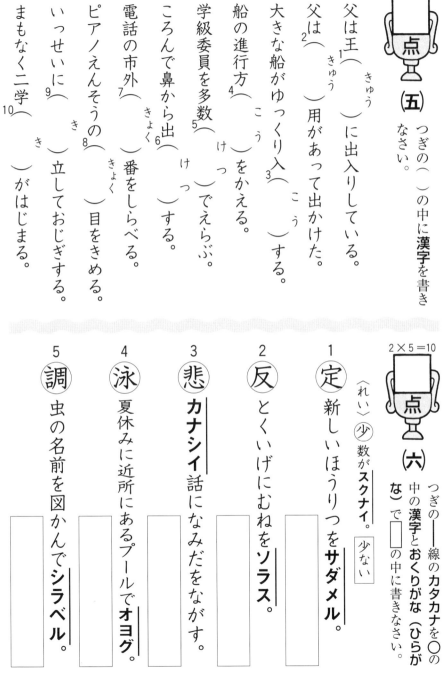

1×10＝10

□点

(七)

つぎの——線の**漢字**の**読みがな**を——線の**右**に書きなさい。

どうやら雪になりそうな 1 様子 だ。
お 2 客様 にれいを言う。

弱いチームの 3 味方 をする。
スルメをよくかんで 4 味 わう。

消火ポンプで 5 放水 する。
つかまえた虫を野原で 6 放 す。

ダーツがまとに 7 命中 する。
8 命 からがらにげ出してきた。

おぼえたての歌を 9 練習 する。
やきものに使う土を 10 練 る。

2×20＝40

□点

(八)

つぎの□の中に**漢字**を書きなさい。

1 ソフトボールの 1 □《たい》こう戦《せん》が 2 □《はじ》まった。

2 3 □《とう》手と 4 □《だ》者のかけひきがおもしろい。

3 5 □《みずうみ》に小さな白い 6 □《なみ》がたった。

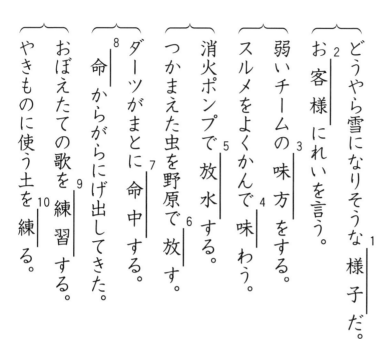

4 九 7□《しゅう》の南には多くの 8□《しま》がある。

5 地 9□《きゅう》は自 10□《てん》している。

6 古い 11□《はしら》時計が 12□《うご》かなくなった。

7 13□《はこ》の中でハムスターを 14□《そだ》てている。

8 算数の 15□《もん》16□《だい》はやさしかった。

9 17□《べん》強をすませてから 18□《あそ》びにいく。

10 名前をよばれたら、「はい」と 19□《へん》20□《じ》をしよう。

正しい答えは、べっさつの8ページ

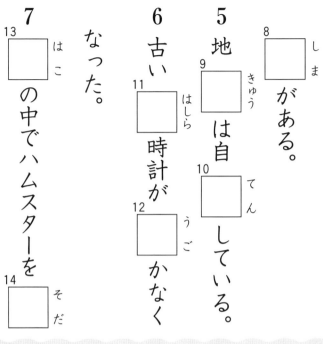

8級 第5回★テスト【40分】

◆150点まん点
120点いじょう合かく

◆合計とく点（　　）点

1×30＝30
点

（一）つぎの――線の**漢字**の**読みが**
なを答えのらんに書きなさい。

1 中学校では野球をやりたい。（　　）
2 父母の期待にこたえたい。（　　）
3 時速六十キロの速度で車が走る。（　　）
4 ぼくのチームが先取点をあげた。（　　）
5 キーパーがゴールを死守する。（　　）
6 申し分のないすばらしい作品だ。（　　）
7 草笛の音は物悲しい気分になる。（　　）
8 青い自転車を買ってもらった。（　　）
9 王様の住んでいたお城《しろ》を見学した。（　　）
10 高い山に登り気持ちがいい。（　　）
11 宿題を早めにすませた。（　　）
12 曲目をたしかめてCDを買った。（　　）
13 一丁目の角にゆうびんポストがある。（　　）
14 家族みんなで幸せにくらす。（　　）
15 二たす三と十わる二の答えは等しい。（　　）
16 小学校の反対がわに中学校がある。（　　）
17 人気の店の前に行列ができた。（　　）

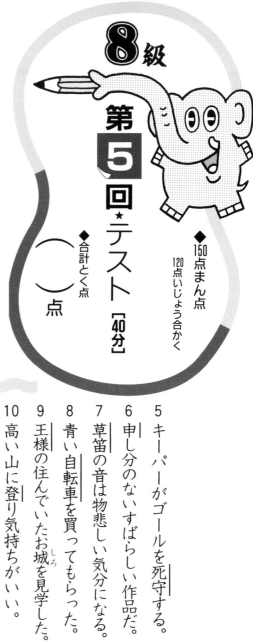

18 セーターの上にコートを重ねる。（　　）
19 平和がいつまでもつづくとよい。（　　）
20 はじめて海外旅行に行った。（　　）
21 トップグループに追いついた。（　　）
22 冬の朝、池に氷がはった。（　　）
23 クラスを代表してマラソン大会に出た。（　　）
24 母からそろばんを学ぶ。（　　）
25 きずを負って入院した。（　　）
26 このバスの定員は六十人だ。（　　）
27 黒い雲におおわれて空が暗くなった。（　　）
28 弱すぎて相手にならない。（　　）
29 島には医者が一人しかいない。（　　）
30 羊が野原で草を食べている。（　　）

1×10=10

点

(二)

つぎの漢字の**太いところ**は、**何番め**に書きますか。○の中に**数字**を書きなさい。

1 曲 …… ○
2 君 …… ○
3 区 …… ○
4 究 …… ○
5 局 …… ○
6 球 …… ○
7 湖 …… ○
8 級 …… ○
9 銀 …… ○
10 庫 …… ○

2×5＝10

□点

(三)

（　）の中に**漢字**を書いて、上と**はんたいのいみのことば**にしなさい。

つける――1（　）《け》す

下りる――2（　）《の》る

うそ――3（　）《しん》実

寒い――4（　）《あつ》い

今――5（　）《むかし》

2×10＝20

□点

(四)

おなじなかまの漢字を□の中に書きなさい。

いとへん（糸）…1□《れん》習・2□《みどり》色

ごんべん（言）…相3□《だん》・4□《ちょう》子

おおざと（阝）…5□《と》市・6□《ぶ》首

うかんむり（宀）…7□《じっ》行・来8□《きゃく》

しんにょう しんにゅう（⻌）…9□《しん》歩・10□《ゆう》園地

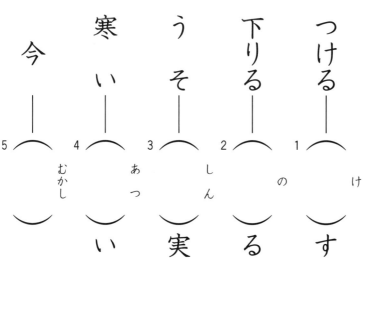

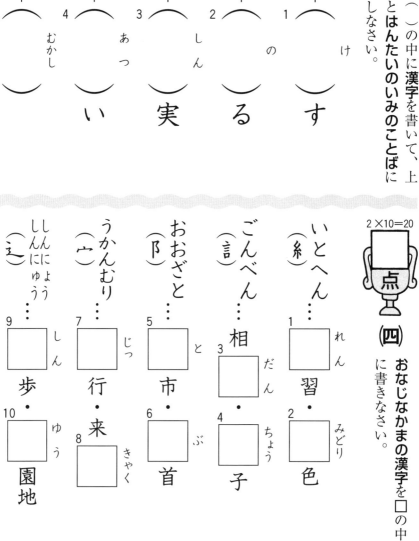

2×10＝20

点

（五）

つぎの（　）の中に**漢字**を書きなさい。

1 本を買う前に目（　）《じ》を見る。

2 母から用（　）《じ》を言いつけられる。

3 （　）《しゅ》人公の女の子がかわいい。

4 父は日本（　）《しゅ》をよく飲む。

5 お気に入りの（　）《し》集を読む。

6 そうじ当番を（　）《し》名する。

7 工作を（　）《し》上げる。

8 コンパスを（　）《し》用する。

9 青森県は本（　）《しゅう》の一番北にある。

10 学校に午前八時に（　）《しゅう》合せよ。

2×5＝10

点

（六）

つぎの——線の**カタカナ**を○の中の**漢字**と**おくりがな（ひらがな）**で□の中に書きなさい。

〈れい〉（少）数が**スクナイ**。 少ない

1 （放）でんしょバトを空に**ハナス**。

2 （味）えい画のたのしさを**アジワウ**。

3 （落）サルも木から**オチル**。

4 （流）学校で悪いうわさが**ナガレル**。

5 （苦）長い時間走ったので息が**クルシイ**。

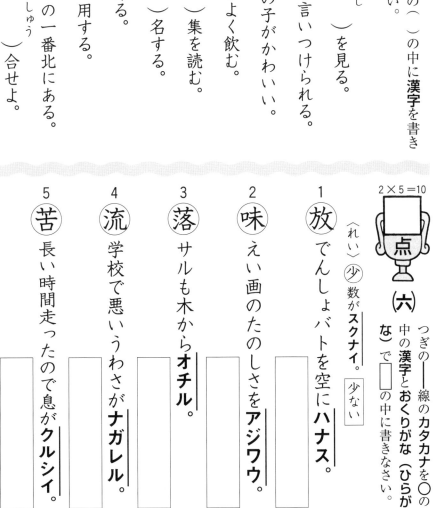

1×10＝10
点

(七)

つぎの——線の**漢字**の**読みがな**を——線の**右**に書きなさい。

1. エンジン 1全開 でつっ走る。
2. 国語の教科書の十ページを 2開 く。
3. 3悪意 があってしたわけではない。
4. 4悪 がしこい人はすきになれない。
5. やさいを 5温室 でそだてる。
6. 冬は牛にゅうを 6温 めてのむ。
7. きょうりゅうの 7化石 を発見した。
8. 夏は 8化 け物の話が多くなる。
9. 水泳大会を 9屋内 プールで行う。
10. ようやく 10山小屋 にたどりつく。

2×20＝40
点

(八)

つぎの□の中に**漢字**を書きなさい。

1 家から駅までの間に 1□《きゅう》 な 2□《さか》 がある。

2 3□《に》 物を家まで 4□《はこ》 んだ。

3 5□《のう》 家の人が 6□《はたけ》 をたがやしている。

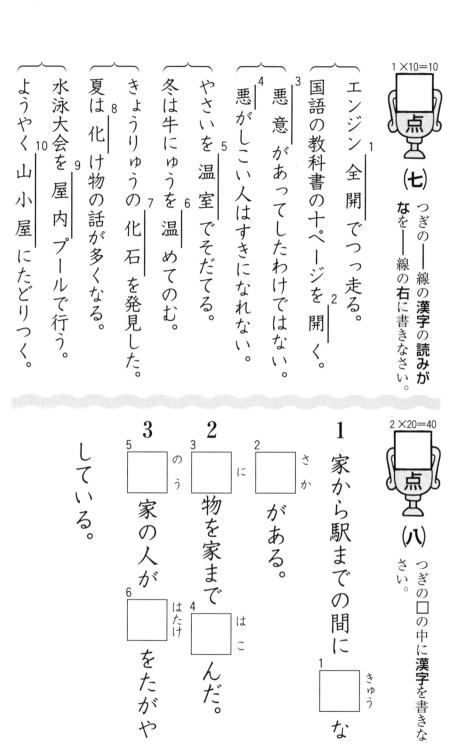

4 朝7□《れい》は八時に8□《はじ》まる。

5 牛肉の9□《てっ》10□《ぱん》やきをごちそうになった。

6 遠足に行ったときの11□《しゃ》12□《しん》ができた。

7 赤い13□《よう》14□《ふく》の女の人に出会った。

8 プレゼントの15□《しな》を16□《はこ》に入れた。

9 図書17□《かん》でグリム18□《どう》話をかりた。

10 長い19□《はし》をやっとわたり20□《お》えた。

正しい答えは、べっさつの10ページ

8級 第6回★テスト【40分】

◆150点まん点
120点いじょう合かく

◆合計とく点

（　　）点

1×30＝30

点

（一）つぎの——線の**漢字**の**読みがな**を答えのらんに書きなさい。

1 毛筆で書きぞめをする。（　　）
2 真心をこめて手紙を書く。（　　）
3 父といっしょに山に登った。（　　）
4 山のおくまでは電波がとどかない。（　　）
5 畑の作物をしゅうかくする。（　　）
6 つった魚を近所の人に分けた。（　　）
7 病気で休んだ友人が心配だ。（　　）
8 まわりの人に調子を合わせる。（　　）
9 みんなの何倍もどりょくした。（　　）
10 ぬまの主はりゅうだといううわさだ。（　　）
11 宿り木がうす黄色い花をさかせた。（　　）
12 一番と三十秒のさで二番だった。（　　）
13 遠足のバスは八時に出発する。（　　）
14 母は和服で外出した。（　　）
15 家の向かいは長い間空き地だ。（　　）
16 宿題の作文の題名を考えた。（　　）
17 流氷を見に行くための船が出る。（　　）

18 寒いので手ぶくろをはめた。（　　）
19 土地を平らにならして家をたてる。（　　）
20 上等なケーキをいただいた。（　　）
21 毛皮のコートがあたたかそうだ。（　　）
22 とくいまんめんでむねを反らす。（　　）
23 兄は大学で落第したらしい。（　　）
24 ていりゅう所でバスを待つ。（　　）
25 じしゃくのはりは北を指している。（　　）
26 夕方家路につくからすのむれを見た。（　　）
27 王女はりっぱな王宮でくらしていた。（　　）
28 毎朝軽くジョギングをする。（　　）
29 大学に行って研究者になりたい。（　　）
30 悲しくてなみだがあふれる。（　　）

1×10=10

点

(二)

つぎの漢字の**太いところ**は、**何番め**に書きますか。○の中に**数字**を書きなさい。

1 祭 ○
2 取 ○
3 州 ○
4 詩 ○
5 集 ○

6 歯 ○
7 死 ○
8 写 ○
9 終 ○
10 根 ○

2×5＝10 点

㈢ （　）の中に漢字を書いて、上と**はんたいのいみのことば**にしなさい。

1 自分——（　《た》）人

2 にげる——（　《お》）う

3 いなか——（　《と》）会

4 本人——（　《だい》）理人

5 こぼす——（　《そそ》）ぐ

2×10＝20 点

㈣ **おなじなかまの漢字を**□の中に書きなさい。

きへん（木）…… 1□《よこ》目・2□《はしら》時計

さんずい（氵）…… 3□《ゆ》気・4□《しょう》化

ちから（力）…… 活5□《どう》・6□《べん》強

こころ（心）…… 7□《あく》人・同8□《かん》

ひへん（日）…… 9□《よう》日・10□《あん》記力

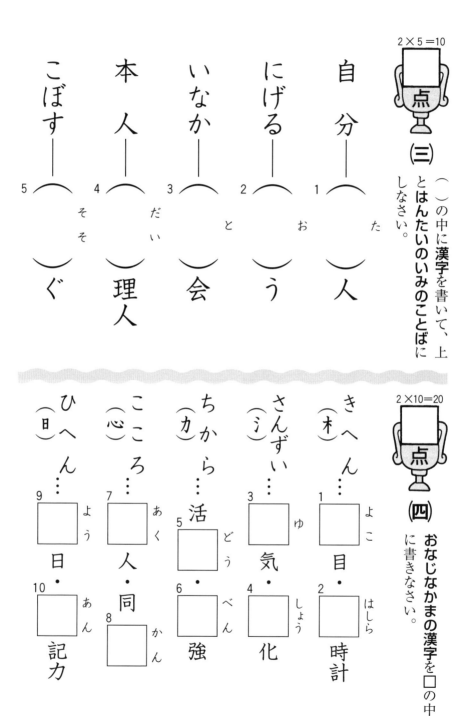

2×10=20

点

(五) つぎの（　）の中に**漢字**を書きなさい。

1 いまは二十一（　）《せい》きである。

2 つくえの上を（　）《せい》理する。

3 それは自分自（　）《しん》で考える事だ。

4 じけんは（　）《しん》夜に発生した。

5 クイズ番組の放（　）《そう》が始まった。

6 理（　）《そう》の世の中を考える。

7 おじは（　）《しょう》売をしている。

8 学校の記（　）《しょう》を、ぼうしにつける。

9 百メートルを全（　）《そく》力で走る。

10 はたらいたあと休（　）《そく》する。

2×5=10

点

(六) つぎの——線の**カタカナ**を○の中の**漢字**と**おくりがな（ひらがな）**で□の中に書きなさい。

〈れい〉㊀少 数が**スクナイ**。 少ない

1 (運) 妹の荷物を家まで**ハコブ**。

2 (温) **アタタカイ**おふろに入りたい。

3 (開) かん気のために窓《まど》を**アケル**。

4 (化) タヌキやキツネは人を**バカス**。

5 (起) わたしは毎朝七時に**オキル**。

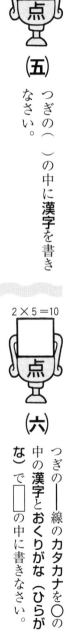

1×10=10

□点

(七)

つぎの——線の**漢字**の**読みがな**を——線の**右**に書きなさい。

1. 姉は 1去年 高校に進学した。
2. きびしい冬がようやく 2去 る。
3. あれこれ考えたが 3決心 がついた。
4. 学校の 4決 まりをまもる。
5. 5急病 のため予定をへんこうする。
6. 弟をむかえに 6急 ぎ足で行く。
7. 作文を書くのに 7苦心 する。
8. 8苦 いくすりをのまされる。
9. すばらしい 9新曲 が生まれた。
10. 心の 10曲 がった人にはなりたくない。

2×20=40

□点

(八)

つぎの□の中に**漢字**を書きなさい。

1 野原を 1□《ころ》げ回って 2□《あそ》んでいる。

2 3□《およ》いで 4□《きし》にたどりついた。

3 5□《みどり》色の木の 6□《は》が風にゆらいでいる。

4 交通7□《あん》8□《ぜん》のポスターをかいた。

5 9□《さか》10□《や》さんがビールをはいたつする。

6 クラス11□《い》12□《いん》になった。

7 入学13□《しき》であんない14□《がかり》をやった。

8 パソコンの15□《ぶ》16□《ひん》を買ってきた。

9 かろうじて17□《いのち》だけは18□《たす》かった。

10 おせわになった友だちの家19□《ぞく》にお20□《れい》の手紙を書いておくった。

正しい答えは、べっさつの12ページ

8級

第7回★テスト【40分】

◆150点まん点
120点いじょう合かく

◆合計とく点
（　　）点

1×30＝30
（　　）点

(一) つぎの――線の**漢字**の**読みがな**を答えのらんに書きなさい。

1 両親は学校の先生をしている。（　　）
2 平原に何頭もの牛や馬がいる。（　　）
3 遊歩道をのんびり歩いた。（　　）
4 木かげで油絵をかく。（　　）
5 昼食は炭火でバーベキューだ。（　　）
6 やりたいことを自由に行う。（　　）
7 友人の家から急ぎ足で帰る。（　　）
8 お正月に神社でおまいりした。（　　）
9 学級文庫の本をかりた。（　　）
10 湯ざめしてかぜをひいた。（　　）
11 みこしがいせいよく練り歩く。（　　）
12 どの方面もこんざつしている。（　　）
13 せまい道路は人でいっぱいだ。（　　）
14 ねる前に宿題をすませる。（　　）
15 名所を見物して歩く。（　　）
16 湖面がかがみのように光る。（　　）
17 家族で北海道を旅行する。（　　）

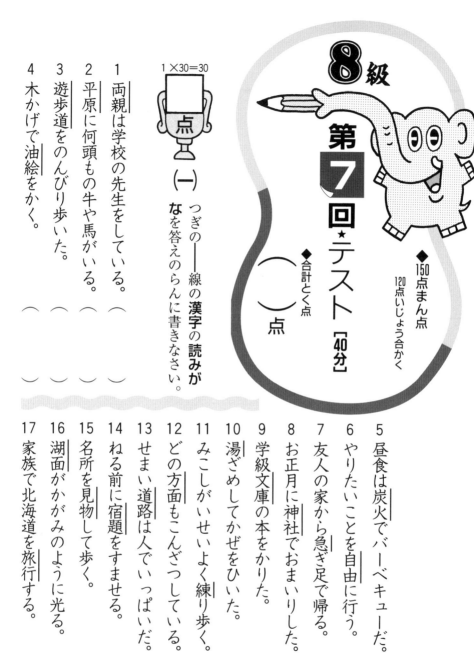

18 ほんとうの事は言えない。（　　）
19 病にたおれて何年にもなる。（　　）
20 ほうか後は学童クラブですごす。（　　）
21 ここは千三百年前の都のあと地だ。（　　）
22 おやつにそら豆をゆでて食べる。（　　）
23 ペンギンについて本で調べる。（　　）
24 所持品のけんさをする。（　　）
25 母に大きな声で起こされた。（　　）
26 走った後に水を一気に飲みほした。（　　）
27 かりたものはかならず返す。（　　）
28 暑中みまいのはがきを書いた。（　　）
29 真っ暗でお化けが出そうだ。（　　）
30 弟が坂道で転んだ。（　　）

1×10＝10

点

(二) つぎの漢字の**太いところ**は、**何番め**に書きますか。○の中に**数字**を書きなさい。

1 暑 ……（　）
2 神 ……（　）
3 所 ……（　）
4 身 ……（　）
5 乗 ……（　）

6 鉄 ……（　）
7 勝 ……（　）
8 植 ……（　）
9 想 ……（　）
10 進 ……（　）

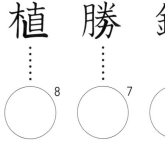

2×5＝10
点

(三)

（　）の中に漢字を書いて、上とはんたいのいみのことばにしなさい。

1 てい車―（　）《はっ》車

2 さんせい―（　）《はん》対

3 ぬぐ―（　）《き》る

4 勝つ―（　）《ま》ける

5 うらがわ―（　）《おもて》がわ

2×10＝20
点

(四)

おなじなかまの漢字を□の中に書きなさい。

にんべん（亻）…三 1□《ばい》・2□《た》人

さんずい（氵）…体 3□《おん》・4□《ちゅう》意力

のぶん ぼくづくり（攵）…5□《せい》理・6□《ほう》火

くさかんむり（艹）…7□《にが》手・8□《らっ》花生

しんにょう しんにゅう（辶）…高 9□《そく》・10□《うん》命

2×10=20

点

(五) つぎの（　）の中に**漢字**を書きなさい。

1 日本列（　　）《とう》は海にかこまれている。

2 列を作って（　　）《とう》校する。

3 本の（　　）《だい》名を調べる。

4 クイズの（　　）《だい》一問に答える。

5 店の（　　）《てい》休日は月曜日だ。

6 校（　　）《てい》でサッカーをして遊ぶ。

7 ならったことを（　　）《ちょう》面に書く。

8 いま、四（　　）《ちょう》目の七番地にいる。

9 今日のうちに予（　　）《しゅう》しておこう。

10 明日は一学期の（　　）《しゅう》業式だ。

2×5=10

点

(六) つぎの——線の**カタカナ**を○の中の**漢字**と**おくりがな（ひらがな）**で□の中に書きなさい。

〈れい〉(少)数が**スクナイ**。　少ない

1 (曲) 次の角を右に**マガル**。

2 (配) きゅう食のパンを**クバル**。

3 (集) 友だちの家に**アツマル**。

4 (平) かわらで**ヒラタイ**石を拾った。

5 (向) 顔を東のほうに**ムケル**。

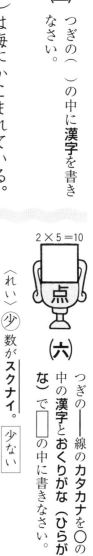

1×10＝10
点

(七) つぎの——線の**漢字**の**読みがな**を——線の**右**に書きなさい。

1 ロボットの仕組みがわからない。

2 目上の人に仕える。

3 母は根気よく働《はたら》いている。

4 わらわれたことを根にもつ。

5 朝の主食はパンです。

6 クラブの主な人たちがあつまる。

7 あいさつする人を指名する。

8 親友としょうぎを指す。

9 見本よりも実物を早く見たい。

10 がんばってきたことが実る。

2×20＝40
点

(八) つぎの□の中に**漢字**を書きなさい。

1 今朝は池に 1［　］《こおり》がはるほど 2［　］《さむ》かった。

2 父が外科 3［　］《い》 4［　］《いん》をかいぎょうした。

3 5［　］《くすり》ができるまでしばらく 6［　］《ま》たされた。

4 この本を読んでとても 7□《かん》8□《どう》した。

5 9□《むかし》はもののねだんが 10□《やす》かったそうだ。

6 11□《せ》12□《かい》一長い川はどこにあるのだろう。

7 車道を 13□《よこ》切らずに、歩道 14□《きょう》をわたろう。

8 みんなの 15□《い》見を聞いてから 16□《き》める。

9 ゆうびん 17□《きょく》は 18□《ぎん》行のとなりだ。

10 19□《つか》った道 20□《ぐ》をきちんとかたづける。

 正しい答えは、べっさつの14ページ

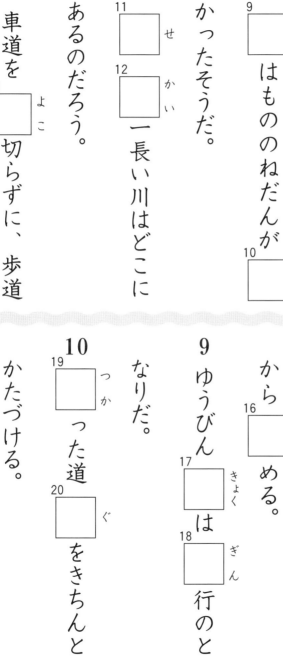

7級

第1回★テスト（60分）

◇合計点◇

（200点満点の　　　点）

- 140点以上　合かく
- 110点以上　合かくまであと一歩
- 80点以上　さらに努力しましょう

1×20

/20

（一）次の——線の漢字の読みをひらがなで答えのらんに書きなさい。

1 近くの神社にお参りする。（　　）
2 町の功労者に選ばれた。（　　）
3 気が散って落ち着かない。（　　）
4 夕食を残さずに食べた。（　　）
5 新しい泳ぎかたを試みる。（　　）
6 王様が国を治める。（　　）
7 暗がりに不安を覚える。（　　）
8 友人に年賀状《じょう》を出す。（　　）
9 やさしい父を病気で失う。（　　）
10 バスを借り切って出かける。（　　）
11 紙に生年月日と氏名を書く。（　　）
12 母の実家には井戸があった。（　　）
13 クラス会で司会を受けもつ。（　　）
14 手品の種明かしはしない。（　　）
15 主人公は類いまれな力がある。（　　）
16 卒業式で答辞を読む。（　　）
17 テニスの初心者が集まる。（　　）
18 祝日のため学校は休みだ。（　　）
19 ふだの番号順にならぶ。（　　）
20 青菜に塩（　　）

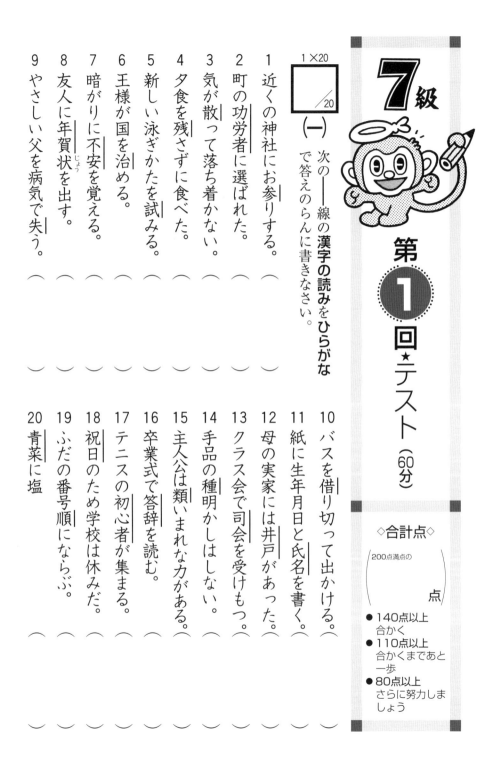

1×10
/10

(二) 次の各組の――線の**漢字の読み**を**ひらがな**で答えのらんに書きなさい。

1 高校入試の願書を出した。（　　）
2 流れ星に願い事をする。（　　）

3 手首に太い血管が見える。（　　）
4 ゴムの管でたんをとる。（　　）

5 バッタの大群があらわれた。（　　）
6 魚の群れを観察する。（　　）

7 キャプテンが旗手をつとめた。（　　）
8 旗をふっておうえんをする。（　　）

9 城下町に住んでいる。（　　）
10 お城の天守かくに登った。（　　）

2×10
/20

(三) 次の――線の**カタカナ**に合う**漢字**をえらんでその漢字の**記号**に○をつけなさい。

1 チームに**ケツ**員がある。（ア欠　イ決　ウ結）
2 いま、勉強の**サイ**中です。（アオ　イ祭　ウ最）
3 体の調子は良**コウ**だ。（ア功　イ好　ウ行）
4 駅の改**サツ**口を出る。（ア刷　イ察　ウ札）
5 金具でベッドを**コ**定する。（ア固　イ古　ウ庫）
6 弟は**ケン**康優《ゆう》良児だ。（ア建　イ健　ウ験）
7 母にしかられて反**セイ**した。（ア静　イ省　ウ清）
8 円の直**ケイ**をはかる。（ア係　イ計　ウ径）
9 ここは工業地**タイ**だ。（ア帯　イ体　ウ待）
10 **テイ**面の面積を求める。（ア低　イ底　ウ庭）

（四）

1×10　　/10

次の上の漢字の**太い画**のところは**筆順の何画目**か、下の漢字の**総**《そう》**画数は何画**か、**算用数字**（1、2、3…）で答えなさい。

〈例〉午 3 ― 守 6

1 帯　2 媛
3 兆　4 典
5 熱
6 底　7 類
8 滋　9 働
10 孫

（四）の答え	1	2	3	4	5
	6	**7**	**8**	**9**	**10**

（五）

2×10　　/20

次の漢字の読みは、**音読み**（ア）ですか、**訓読み**（イ）ですか。**記号**で答えなさい。

〈例〉顔《かお》 → イ

1 街《まち》 □
2 栄《えい》 □
3 改《かい》 □
4 位《くらい》 □
5 果《か》 □
6 印《しるし》 □
7 塩《しお》 □
8 徳《とく》 □
9 芽《め》 □
10 覚《かく》 □

（六）

2×5　　/10

後の□の中のひらがなを漢字になおして、意味が反対や対《つい》になることば（対義《ぎ》語）を書きなさい。□の中のひらがなは**一度だけ**使い、答えのらんに**漢字一字**を書きなさい。

〈例〉午前 ― 午 後

深手 ― 1 手
冷たい ― 2 い
連作 ― 3 作
受信 ― 4 信
平等 ― 差 5

あさ・あつ・はっ・べつ・りん

（六）の答え	1	2	3	4	5

(七) 2×7 ／14

次の——線のカタカナを○の中の漢字と送りがな(ひらがな)で答えのらんに書きなさい。

〈例〉 (始)入学式がハジマル。 [始まる]

1 (老)年をとることをオイルという。
2 (連)形のよい山がツラナル。
3 (養)時間をかけて実力をヤシナウ。
4 (冷)祭りの夜店をヒヤカス。
5 (浴)全身にすなぼこりをアビル。
6 (勇)相手とイサマシクたたかう。
7 (満)湯ぶねに湯をミタス。

(七)の答え

1	2	3	4

5	6	7

(八) 2×10 ／20

次の部首のなかまの漢字で□にあてはまる漢字一字を、答えのらんに書きなさい。

〈例〉 艹(くさかんむり) [茶]《ちゃ》色・転[落]《らく》

ア 言(ごんべん)
1□《せつ》明・放2□《か》後・相3□《だん》

イ 木(きへん)
黒4□《ばん》・5□《しょく》物・6□《ね》元

ウ 辶(しんにょう・しんにゅう)
7□《しん》路・8□《つい》加・9□《そく》度・上10□《たつ》

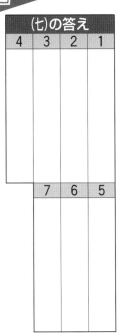

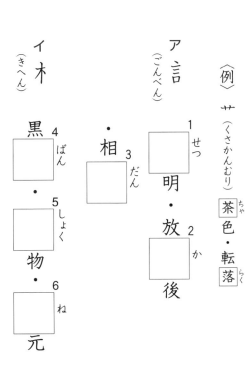

2×8

/16

(九)

次の――線の**カタカナ**を**漢字**になおして答えのらんに書きなさい。

1 音楽**タイ**の一員になった。

2 二人の意見が**タイ**立したままだ。

3 家具の配**チ**をかえた。

4 家のまわりは緑**チ**が多い。

5 さくらの花は**タン**命だ。

6 **タン**調なリズムをくり返す。

7 **ネン**始のあいさつをする。

8 旅行の記**ネン**品を買った。

(九)の答え

1	5
2	6
3	7
4	8

2×10

/20

(十)

上の漢字と下の□の中の漢字を組み合わせて**二字のじゅく語を二つ作り**、答えのらんに**記号**で書きなさい。

〈例〉習

ア勉 イ字 ウ決 エ自 オ時

エ 習　習 イ

一、信

ア転 イ用 ウ合 エ央 オ自

1 信　信 2

二、折

ア右 イ千 ウ開 エ角 オ分

3 折　折 4

三、席

ア隊 イ順 ウ着 エ集 オ落

5 席　席 6

四、成

ア虫 イ号 ウ節 エ放 オ達

7 成　成 8

五、照

ア大 イ改 ウ暗 エ明 オ日

9 照

照 10

(十)の答え	
1	6
2	7
3	8
4	9
5	10

2×20

/40

(十一) 次の――線の**カタカナ**を**漢字**になおして答えのらんに書きなさい。

1 **ウメ**ぼしはあまりすきでない。（　　）
2 授業《じゅ》でそろばんが**ヒツ**要になった。（　　）
3 旅行先で**ハク**物館に立ちよる。（　　）
4 部屋から**ワラ**い声が聞こえてきた。（　　）
5 かぜを引いて声が**ヘン**になる。（　　）
6 学校からのお**タヨ**りを母に見せた。（　　）
7 一番よい方**ホウ**を考える。（　　）
8 池の周**ヘン**をぶらぶら歩く。（　　）
9 卒業のお祝いに赤**ハン**をたく。（　　）
10 週**マツ**は雨になるらしい。（　　）
11 **ボク**場で動物たちと遊びたい。（　　）
12 父は**オカ**山県で生まれた。（　　）
13 バッタを両手で**ツツ**んで持つ。（　　）
14 旅行で**サ**賀県に行った。（　　）
15 トンボの**ヒョウ**本をつくる。（　　）
16 病気が早く治るように**ノゾ**む。（　　）
17 さしみにワサビは**ツ**き物だ。（　　）
18 五対四でおしくも**ヤブ**れる。（　　）
19 父は、母の**オット**に当たる。（　　）
20 **ト**ぶ鳥を落とすいきおい（　　）

正しい答えは、べっさつの16ページ。

7級

第2回★テスト（60分）

◇合計点◇

（200点満点の　　点）

- 140点以上　合かく
- 110点以上　合かくまであと一歩
- 80点以上　さらに努力しましょう

1×20

/20

(一) 次の——線の**漢字の読み**を**ひらがな**で答えのらんに書きなさい。

1 太陽がきびしく照りつける。（　　）
2 順番は成り行きにまかせる。（　　）
3 よけいなことは省く。（　　）
4 小川を清らかな水が流れる。（　　）
5 音楽をきくと心が静まる。（　　）
6 岐阜県にある母の実家へ行った。（　　）
7 旅行のお金を積み立てる。（　　）
8 今度のテストは自信がある。（　　）
9 このチームは結束が固い。（　　）
10 大臣のいすにすわる。（　　）
11 打球が客席にとびこむ。（　　）
12 対戦相手が強すぎた。（　　）
13 かい犬が子を三びき産んだ。（　　）
14 兄は空手の日本代表選手だ。（　　）
15 弟とカマキリを観察する。（　　）
16 人の正しい生きかたを説く。（　　）
17 百メートル競走で勝った。（　　）
18 浅い川で水遊びをする。（　　）
19 倉庫には品物がいっぱいだ。（　　）
20 ヤナギに雪折れ無し（　　）

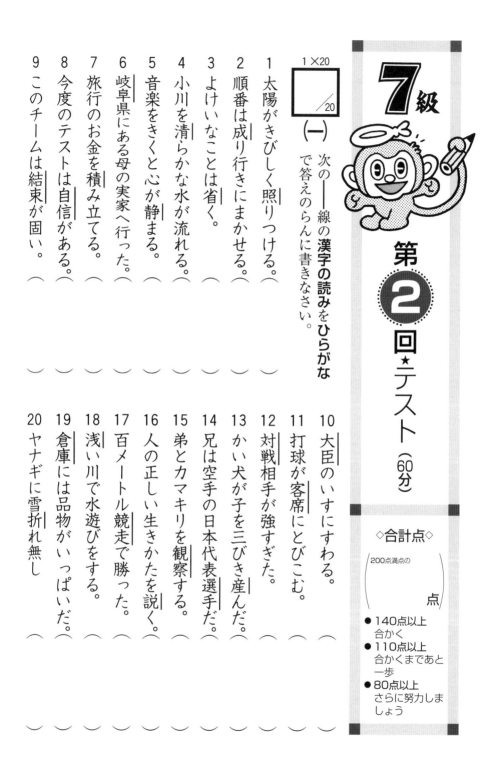

(二)

1×10　/10

次の各組の――線の**漢字の読み**を**ひらがな**で答えのらんに書きなさい。

1 人の好意にあまえる。（　）
2 肉より魚のほうが好きだ。（　）
3 求人広告《こく》を見た。（　）
4 肉や魚を買い求める。（　）
5 街灯にあかりがついた。（　）
6 街角でインタビューを受けた。（　）
7 トラックで建材を運ぶ。（　）
8 近くにしゃれた建物ができた。（　）
9 駅の改札口で落ち合う。（　）
10 神社で交通安全のお札を買った。（　）

(三)

2×10　/20

次の――線の**カタカナ**に合う**漢字**をえらんで、その漢字の**記号**に○をつけなさい。

1 デパートで**シ**食する。（ア使　イ歯　ウ試）
2 町へ**サン**歩に出る。（ア参　イ散　ウ算）
3 校長先生が式**ジ**をのべた。（ア辞　イ字　ウ事）
4 運動会の競技《ぎ》**シュ**目がきまる。（ア主　イ取　ウ種）
5 パソコンについてはまだ**ショ**心者です。（ア初　イ所　ウ書）
6 学校のまわりを五**シュウ**走る。（ア週　イ周　ウ州）
7 合**ショウ**コンクールで金賞《しょう》をとった。（ア勝　イ章　ウ唱）
8 小学生は**ジ**童である。（ア自　イ児　ウ次）
9 春のような気**コウ**が続く。（ア候　イ幸　ウ康）
10 自分には**カン**係がない。（ア官　イ関　ウ間）

1×10

/10

（四）

次の上の漢字の**太い画**のところは**筆順の何画目**か、下の漢字の**総《そう》画数は何画**か、**算用数字**（1、2、3…）で答えなさい。

〈例〉 午 3 ― 守 6

1 巣　3 飛　5 梅

2 博　4 変

6 熊　8 包　10 標

7 飯　9 望

（四）の答え

1	2	3	4	5
6	**7**	**8**	**9**	**10**

2×10

/20

（五）

次の漢字の読みは、**音読み**（ア）ですか、**訓読み**（イ）ですか。**記号**で答えなさい。

〈例〉 顔《かお》 → イ

1 共《とも》 □　5 願《がん》 □　9 鏡《かがみ》 □

2 松《まつ》 □　6 鹿《か》 □　10 奈《な》 □

3 漁《りょう》 □　7 旗《はた》 □

4 関《せき》 □　8 挙《きょ》 □

2×5

/10

（六）

後の□の中のひらがなを漢字になおして、意味が反対や対《つい》になることば（対義《ぎ》語）を書きなさい。□の中のひらがなは**一度だけ**使い、答えのらんに**漢字一字**を書きなさい。

〈例〉 午前 ― 午 後

失敗 ― 成 1

美点 ― 2 点

人工 ― 天 3

平和 ― 戦 4

高地 ― 5 地

けっ・こう・そう・てい・ねん

（六）の答え

1	2	3	4	5

(七) 2×7 　／14

次の――線の**カタカナを○の中の漢字と送りがな(ひらがな)**で答えのらんに書きなさい。

〈例〉 ㊛始 入学式が**ハジマル**。 ［始まる］

1 (静) **シズカナ**部屋の中で音楽をきく。

2 (栄) 観光業により街が**サカエル**。

3 (笑) 一円を**ワラウ**ものは一円に泣く。

4 (加) 弟をチームの一員に**クワエル**。

5 (果) ひどい結果にあきれ**ハテル**。

6 (改) 悪いくせを**アラタメル**。

7 (覚) クマが冬のねむりから**サメル**。

(七)の答え

4	3	2	1

7	6	5

(八) 2×10 　／20

次の**部首のなかまの漢字**で□にあてはまる**漢字一字**を、答えのらんに書きなさい。

〈例〉 艹(くさかんむり) ［茶］《ちゃ》色・転［落］《らく》

ア 阝(こざとへん)

着 1 □《りく》・2 □《たい》長・入 3 □《いん》

イ 亻(にんべん)

4 □《なか》間・一 5 □《おく》円・6 □《びん》乗

ウ ⺮(たけかんむり)

7 □《せつ》分・血 8 □《かん》・9 □《ふで》先・計 10 □《さん》

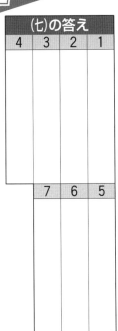

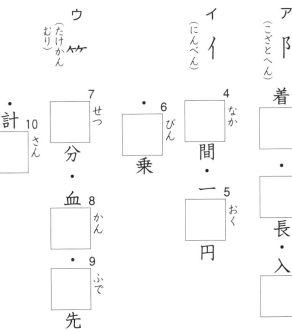

(九)

2×8　　／16

次の――線のカタカナを漢字になおして答えのらんに書きなさい。

1 市長選挙が開**ヒョウ**された。
2 外は**ヒョウ**点下の寒さだ。

3 **フ**立高校に入学した。
4 夜道を歩いていて**フ**安になった。

5 **フク**引きで大当たりした。
6 薬の**フク**作用で、はき気がする。

7 水**ヘイ**線がかすんでいる。
8 水**ヘイ**さんが船を下りた。

(九)の答え

1	5
2	6
3	7
4	8

(十)

2×10　　／20

上の漢字と下の□の中の漢字を組み合わせて**二字のじゅく語**を**二つ作り**、答えのらんに**記号**で書きなさい。

〈例〉習　ア勉　イ字　ウ決　エ自　オ時

エ 習　習 イ

一、底　ア登　イ力　ウ決　エ安　オ海

1 底　底 2

二、隊　ア楽　イ臣　ウ緑　エ員　オ岸

3 隊　隊 4

三、灯　ア巣　イ台　ウ電　エ練　オ暑

5 灯　灯 6

四、器　ア分　イ校　ウ具　エ学　オ食

7 器　器 8

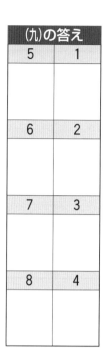

五、念

ア カ　イ 都　ウ 界　エ 記　オ 験

9	念
念	10

(十)の答え

1	6
2	7
3	8
4	9
5	10

2×20

/40

(十) 次の——線の**カタカナ**を**漢字**になおして答えのらんに書きなさい。

1 道**トク**の教科書を読んだ。（　）
2 目的地まで**ヤク**三十分かかる。（　）
3 **ナ**い物ねだりをする。（　）
4 絵を見る目を**ヤシナ**う。（　）
5 使いすての物を他に**リ**用する。（　）
6 勉強に必**ヨウ**な物をそろえる。（　）
7 **タグ**いまれなる人物と言われる。（　）
8 他人に悪口を**ア**びせる。（　）
9 お昼ご飯を配**タツ**してもらう。（　）
10 学校で友だちの**ワ**を広げる。（　）
11 レコーダーに歌を**ロク**音する。（　）
12 母は**リョウ**理が上手だと思う。（　）
13 先生が全員に号**レイ**をかけた。（　）
14 海に近い**ミン**宿にとまる。（　）
15 自動車が長く**ツラ**なって走る。（　）
16 駅の近くに**リッ**橋ができた。（　）
17 祖《そ》父はすっかり**オ**いてしまった。（　）
18 弟は運動会へ**イサ**んで行く。（　）
19 夏休みのすごしかたは**ミ**定だ。（　）
20 年よりの**ヒ**や水（　）

正しい答えは、べっさつの18ページ。

7級

第3回★テスト（60分）

◇合計点◇

（200点満点の　　点）

- 140点以上
  合かく
- 110点以上
  合かくまであと一歩
- 80点以上
  さらに努力しましょう

1×20　　/20

(一) 次の――線の漢字の読みをひらがなで答えのらんに書きなさい。

1 冬は早めに門灯をつける。（　　）
2 つくえの上に時計を置く。（　　）
3 サッカー仲間と海に行く。（　　）
4 ボールを低めに投げる。（　　）
5 弟は底ぬけに明るい人だ。（　　）
6 同級生のあこがれの的だ。（　　）
7 ヒマラヤ登山隊が出発した。（　　）
8 ピアノの上達がおそい。（　　）
9 兄はチームの要となる選手だ。（　　）
10 単調な生活に変化をつける。（　　）
11 母のかん病に努める。（　　）
12 飛行機に乗って沖縄へ行った。（　　）
13 父は夜おそくまで働く。（　　）
14 かぜの前兆かもしれない。（　　）
15 茨城県産の野菜を買った。（　　）
16 デザートに梨をむいて食べた。（　　）
17 台風で城門がこわれた。（　　）
18 新しい漢字の辞典を買った。（　　）
19 近くの駅まで徒歩で行く。（　　）
20 帯に短したすきに長し（　　）

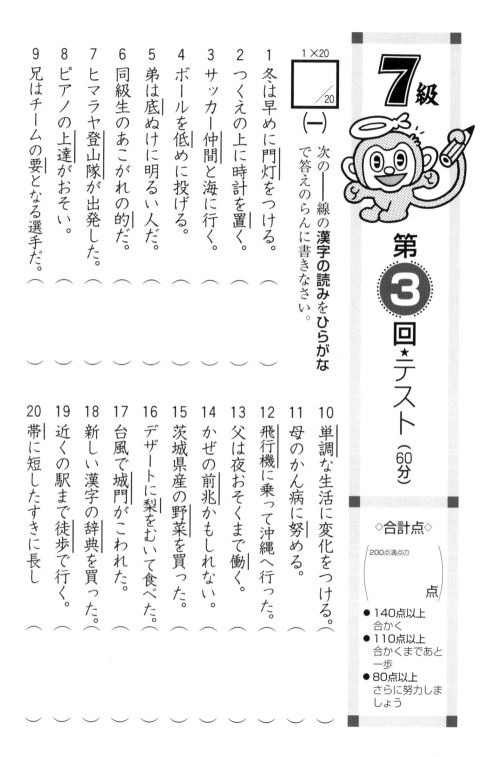

(二)

1×10　/10

次の各組の——線の**漢字の読み**を**ひらがな**で答えのらんに書きなさい。

1 店で服を試着してみる。（　）
2 理科室で実験を試みる。（　）
3 治安のよい国に行く。（　）
4 手のきずがやっと治った。（　）
5 松竹梅はめでたいものだ。（　）
6 海岸につづく松林を散歩する。（　）
7 当初の計画通りに進む。（　）
8 生まれて初めて飛行機に乗った。（　）
9 おどろいて失神した。（　）
10 またとないチャンスを失った。（　）

(三)

2×10　/20

次の——線の**カタカナ**に合う**漢字**をえらんで、その漢字の**記号**に○をつけなさい。

1 友だちの言うことを**シン**用する。（ア真　イ心　ウ信）
2 高熱が出たので安**セイ**にする。（ア静　イ省　ウ晴）
3 全**ゼン**知らない人だ。（ア前　イ然　ウ全）
4 土地の面**セキ**をはかる。（ア積　イ席　ウ石）
5 戦**ソウ**はしたくない。（ア走　イ争　ウ想）
6 四つ角で右**セツ**する。（ア切　イ節　ウ折）
7 指切りをして約**ソク**する。（ア足　イ束　ウ速）
8 冬は日**ショウ**時間が短い。（ア勝　イ照　ウ少）
9 門の**リョウ**側に花が植えられている。（ア両　イ良　ウ料）
10 公**ガイ**が発生した。（ア街　イ外　ウ害）

1×10

/10

(四)

次の上の漢字の**太い画**のところは**筆順の何画目**か、下の漢字の**総画**《そう》**数は何画**か、**算用数字**（1、2、3…）で答えなさい。

〈例〉午 3　守 6

1 無　2 井　3 養　4 良　5 輪

6 録　7 潟　8 約　9 陸　10 勇

(四)の答え

1	2	3	4	5

6	7	8	9	10

2×10

/20

(五)

次の漢字の読みは、**音読み(ア)**ですか、**訓読み(イ)**ですか。**記号**で答えなさい。

〈例〉顔《かお》→イ

1 最《さい》　2 郡《ぐん》　3 札《ふだ》　4 富《ふ》　5 栃《とち》

6 欠《けつ》　7 菜《な》　8 孫《まご》　9 縄《なわ》　10 佐《さ》

2×5

/10

(六)

後の□の中のひらがなを漢字になおして、意味が反対や対《つい》になることば（対義語《ぎ》）を書きなさい。□の中のひらがなは**一度だけ**使い、答えのらんに**漢字一字**を書きなさい。

〈例〉午前—午後

悪化—1転

安心—2心

泣く—3う

真水—4水

他人—親5

こう・しお・ぱい・るい・わら

(六)の答え

1	2	3	4	5

2×7　□／14

(七)

次の——線のカタカナを○の中の漢字と送りがな(ひらがな)で答えのらんに書きなさい。

〈例〉(始) 入学式がハジマル。　[始まる]

1 (願) 病気が早くなおるようネガウ。

2 (熱) 友達とアツイお茶を飲んだ。

3 (求) おぼれかけて助けをモトメル。

4 (敗) おしくも決勝戦でヤブレル。

5 (群) 庭先で小鳥がムレル。

6 (挙) つな引き大会に全力をアゲル。

7 (曲) 交差点を右にマガル。

(七)の答え

1	2	3	4

5	6	7

2×10　□／20

(八)

次の部首のなかまの漢字で□にあてはまる漢字一字を、答えのらんに書きなさい。

〈例〉艹(くさかんむり)　[茶]《ちゃ》色・転[落]《らく》

ア 刂(りっとう)　有 1 □《り》・2 □《ふく》菜・区 3 □《べつ》

イ 囗(くにがまえ)　4 □《こ》体・動物 5 □《えん》・6 □《かい》転

ウ 氵(さんずい)　7 □《ぎょ》業・遠 8 □《あさ》・入 9 □《よく》・10 □《せい》書

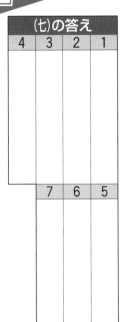

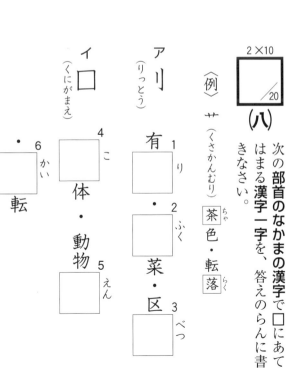

2×8
□ /16

(九)

次の——線の**カタカナ**を**漢字**になおして答えのらんに書きなさい。

1 音楽会で打楽**キ**をやりたい。
2 俳句《はいく》には**キ**語を入れる。

3 先生に目**レイ**して通りすぎた。
4 実**レイ**をあげて説明する。

5 山に**マン**年雪が残っていた。
6 **マン**員電車に乗って学校に通う。

7 **ロウ**後はたくさんお金がひつ要だ。
8 母が心**ロウ**でたおれた。

(九)の答え

1	5
2	6
3	7
4	8

2×10
□ /20

(十)

上の漢字と下の□の中の漢字を組み合わせて**二字のじゅく語を二つ作り**、答えのらんに**記号**で書きなさい。

〈例〉 習

ア勉 イ字 ウ決 エ自 オ時

エ 習　習 イ

一、票

ア決 イ皿 ウ森 エ伝 オ博

1 票　票 2

二、付

ア自 イ暗 ウ録 エ完 オ日

3 付　付 4

三、敗

ア元 イ無 ウ辞 エ者 オ待

5 敗　敗 6

四、法

ア王 イ章 ウ府 エ姉 オ方

7 法　法 8

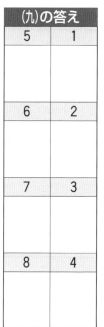

五、兵
ア研 イ隊 ウ水 エ緑 オ助

9 兵

兵 10

(十)の答え

1	6
2	7
3	8
4	9
5	10

(十)

2×20　/40

次の——線の**カタカナ**を**漢字**になおして答えのらんに書きなさい。

1 **アイ**鳥週間は五月十日からだ。（　）
2 いつも清けつな**イ**服を着る。（　）
3 兄は**サイ**玉県に住んでいる。（　）
4 カレンダーに**シルシ**をつける。（　）
5 商業の都市として**サカ**える。（　）
6 器**カイ**体そうがとくいだ。（　）
7 学校まで二十分**イ**内で行ける。（　）
8 昔の五円金**カ**を持っている。（　）
9 **エイ**語は少しだけわかる。（　）
10 千の**クライ**をカンマで区切る。（　）
11 毎朝犬の**サン**歩をする。（　）
12 スキーツアーに**クワ**わる。（　）
13 一**オク**円ひろった人がいる。（　）
14 今年は**レイ**夏のようだ。（　）
15 ためてきたお金を使い**ハ**たす。（　）
16 金魚の世話は、ぼくの日**カ**だ。（　）
17 長年の悪い習慣《かん》を**アラタ**める。（　）
18 強い風の音で目を**サ**ます。（　）
19 春には草木が**メ**生える。（　）
20 **アン**ずるより産むがやすし（　）

正しい答えは、べっさつの20ページ。

7級

第4回★テスト（60分）

◇合計点◇

（200点満点の　　点）

- 140点以上
  合かく
- 110点以上
  合かくまであと一歩
- 80点以上
  さらに努力しましょう

1×20

／20

（一）次の——線の**漢字の読み**を**ひらがな**で答えのらんに書きなさい。

1 歌の節回しをおぼえる。（　　）

2 地元の博物館を見学する。（　　）

3 買ってきた魚を包丁でさばく。（　　）

4 両手で相手をつき飛ばした。（　　）

5 あしたは必ず晴れると思う。（　　）

6 屋上からふじ山を望む。（　　）

7 むねにバッジを付ける。（　　）

8 友達が栃木県へ引っこした。（　　）

9 名画が特別に公開された。（　　）

10 選挙の投票用紙を配る。（　　）

11 野生のゾウは群れで行動する。（　　）

12 目標達成に向けて努力する。（　　）

13 焼き立てのパンを食べる。（　　）

14 自然のままの森に入りこむ。（　　）

15 府立病院で検査《けんさ》を受けた。（　　）

16 以前と少しも変わりがない。（　　）

17 よい方法がみつかった。（　　）

18 おもちゃの兵隊であそぶ。（　　）

19 店もなく不便なところだ。（　　）

20 同じかまの飯を食う（　　）

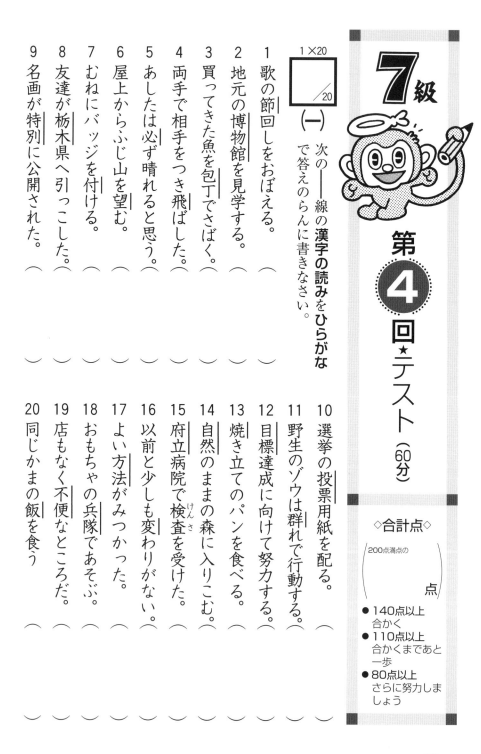

(二)

1×10　／10

次の各組の――線の**漢字の読み**を**ひらがな**で答えのらんに書きなさい。

1 全員が結束してたたかう。（　　）
2 古新聞を束ねる。（　　）

3 雨の中で練習を続行した。（　　）
4 三日間続いて雨がふった。（　　）

5 緑と白の球を選別する。（　　）
6 スピーチコンテストの代表に選ばれた。（　　）

7 戦争反対をさけぶ。（　　）
8 先を争って電車に乗りこむ。（　　）

9 新酒を倉庫におさめる。（　　）
10 大事な品物を倉に運び入れる。（　　）

(三)

2×10　／20

次の――線の**カタカナ**に合う**漢字**をえらんで、その漢字の**記号**に○をつけなさい。

1 きず口に包**タイ**をまく。（ア 待　イ 帯　ウ 対）
2 兄に**デン**言をたのむ。（ア 伝　イ 電　ウ 田）
3 **タン**調な毎日をすごす。（ア 短　イ 単　ウ 炭）
4 労**ドウ**者が集会を開く。（ア 道　イ 同　ウ 働）
5 兄は海**グン**に入隊した。（ア 群　イ 郡　ウ 軍）
6 海**テイ**を調査《さ》する船を見た。（ア 庭　イ 底　ウ 定）
7 **トウ**油を買いに行く。（ア 冬　イ 湯　ウ 灯）
8 つくえの位**チ**をきめる。（ア 置　イ 地　ウ 池）
9 **カ**物列車が目の前を通りすぎる。（ア 加　イ 課　ウ 貨）
10 農**フ**が田んぼの草かりをしている。（ア 夫　イ 富　ウ 阜）

1×10

/10

(四)

次の上の漢字の**太い画**のところは**筆順の何画目**か、下の漢字の**総画《そう》数は何画**か、**算用数字**（1、2、3…）で答えなさい。

〈例〉午 3 ―守 6

1 鹿　2 印

3 官　4 果

5 械

6 改　7 岡

8 億　9 愛

10 案

(四)の答え

1	2	3	4	5

6	7	8	9	10

2×10

/20

(五)

次の漢字の読みは、**音読み**(**ア**)ですか、**訓読み**(**イ**)ですか。**記号**で答えなさい。

〈例〉顔《かお》→ イ

1 種《たね》　2 周《しゅう》

3 参《さん》　4 初《はつ》

5 治《じ》　6 松《まつ》

7 位《くらい》　8 失《しっ》

9 兵《ひょう》　10 的《まと》

2×5

/10

(六)

後の□の中のひらがなを漢字になおして、意味が反対や対《つい》になることば(対義語《ぎ》)を書きなさい。□の中のひらがなは**一度だけ**使い、答えのらんに**漢字一字**を書きなさい。

〈例〉午前 ― 午 後

向上 ― 1 下

気体 ― 2 体

活動 ― 休 3

遠方 ― 近 4

主食 ― 5 食

こ・てい・ふく・ぺん・よう

(六)の答え

1	2	3	4	5

(七)

2×7 ／14

次の――線のカタカナを○の中の漢字と送りがな（ひらがな）で答えのらんに書きなさい。

〈例〉 (始)入学式が**ハジマル**。 始まる

1 (欠)茶わんが**カケル**。

2 (結)ロープをしっかり**ムスブ**。

3 (建)庭のすみに物置小屋を**タテル**。

4 (冷)**ツメタイ**麦茶を飲む。

5 (好)姉とは洋服の**コノミ**がちがう。

6 (伝)先生に感謝《しゃ》の気持ちを**ツタエル**。

7 (関)命に**カカワル**問題だ。

(七)の答え

4	3	2	1

7	6	5

(八)

2×10 ／20

次の**部首のなかまの漢字**で□にあてはまる**漢字一字**を、答えのらんに書きなさい。

〈例〉 艹（くさかんむり） 茶《ちゃ》色・転落《らく》

ア 彳（ぎょうにんべん） 半1□《けい》・2□《と》歩・道3□《とく》

イ 儿（ひとあし・にんにょう） 前4□《ちょう》・育5□《じ》・月6□《こう》

ウ 木（きへん） 入7□《ばい》・8□《ざい》木・名9□《ふだ》・10□《きょく》力

2×8

/16

(九)

次の——線の**カタカナ**を**漢字**になおして答えのらんに書きなさい。

1 年末の商店**ガイ**はにぎやかだ。

2 タバコは健康に**ガイ**がある。

3 円の面**セキ**を求める。

4 空**セキ**をさがしてすわる。

5 キップは**カク**自で買った。

6 秋の味**カク**のマツタケ料理をいただいた。

7 大きな駅ビルが**カン**成した。

8 消化器**カン**がよくないらしい。

(九)の答え

1	5
2	6
3	7
4	8

2×10

/20

(十)

上の漢字と下の□の中の漢字を組み合わせて**二字のじゅく語を二つ作り**、答えのらんに**記号**で書きなさい。

〈例〉 習

ア勉　イ字　ウ決　エ自　オ時

エ 習　　習 イ

一、利

ア笑　イ口　ウ祭　エ不　オ湯

1 利　　利 2

二、差

ア別　イ必　ウ自　エ学　オ交

3 差　　差 4

三、要

ア乗　イ望　ウ重　エ苦　オ聞

5 要　　要 6

四、類

ア語　イ時　ウ秒　エ人　オ府

7 類　　類 8

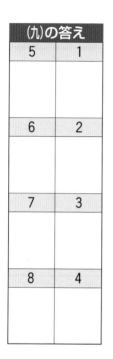

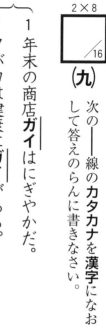

五、料

ア 万　イ 以　ウ 無　エ 申　オ 金

9 料

料 10

(十)の答え	
1	6
2	7
3	8
4	9
5	10

(十一)

2×20　／40

次の――線の**カタカナ**を**漢字**になおして答えのらんに書きなさい。

1 病人の鼻にゴムの**クダ**を入れる。（　　）
2 北海道へ**カン**光旅行に行く。（　　）
3 **カガミ**開きでしるこを食べた。（　　）
4 両親は**トモ**働きです。（　　）
5 福**イ**県に旅行へ出かける。（　　）
6 春は花見によい**キ**節だ。（　　）
7 祖《そ》母の家は**オキ**縄県にある。（　　）
8 ホテルで祝**ガ**会が開かれた。（　　）
9 妹は**キ**用にあみものをする。（　　）
10 悪事のしょうこを**ア**げる。（　　）
11 手を打って**ネガ**いごとをする。（　　）
12 いとこと遊ぶ**キ**会がない。（　　）
13 先生たちが会**ギ**をしている。（　　）
14 親に宿題の手助けを**モト**める。（　　）
15 自動車に**キュウ**油する。（　　）
16 日の丸の**ハタ**がはためく。（　　）
17 父は**ザン**業で帰りがおそい。（　　）
18 クラス委員を投票で**エラ**ぶ。（　　）
19 家の大そうじに**キョウ**力する。（　　）
20 **ナ**く子は育つ（　　）

正しい答えは、べっさつの22ページ。

7級

第5回★テスト（60分）

◇合計点◇

（200点満点の　　点）

- 140点以上
  合かく
- 110点以上
  合かくまであと一歩
- 80点以上
  さらに努力しましょう

1×20　　/20

㈠ 次の——線の**漢字の読み**を**ひらがな**で答えのらんに書きなさい。

1 笑顔《えがお》が満ちあふれる。（　　）
2 声をかけたが返事が無い。（　　）
3 喜《よろこ》び勇んで出かける。（　　）
4 戦う前に気力と体力を養う。（　　）
5 倉庫の中を整理整とんする。（　　）
6 都合の良い時に出かけたい。（　　）
7 この絵はまだ未完成です。（　　）
8 民家がのきをつらねる。（　　）
9 とれたイモの重さを量る。（　　）
10 遊園地の入園券《けん》を予約した。（　　）
11 先生の話の要点をつかむ。（　　）
12 みんなで輪になってすわる。（　　）
13 通学にバスを利用する。（　　）
14 冷めたごはんを温める。（　　）
15 大陸からわたり鳥が来る。（　　）
16 わかりやすい例をあげる。（　　）
17 電話料金が少し下がった。（　　）
18 つくえに書類をつみあげる。（　　）
19 父の命令にしたがう。（　　）
20 念には念を入れよ（　　）

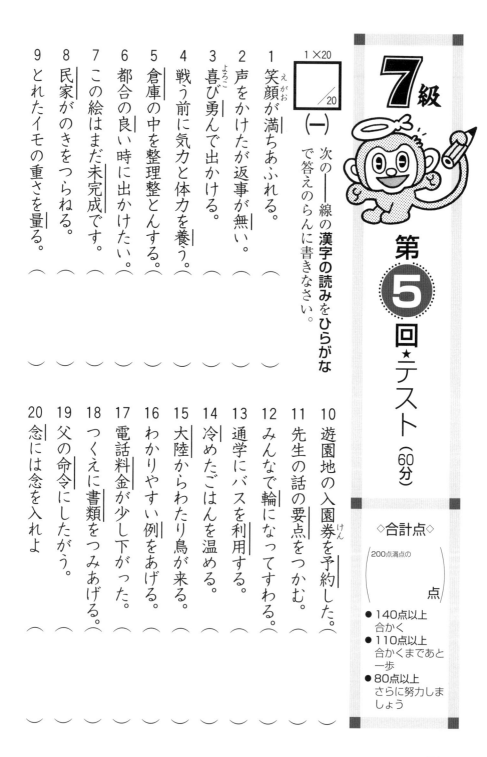

1×10
/10

(二) 次の各組の——線の**漢字の読み**を**ひらがな**で答えのらんに書きなさい。

1 こつこつと努力を重ねる。（　　）
2 毎日、サッカーの練習に努める。（　　）

3 ようやく平熱にもどった。（　　）
4 父は熱いコーヒーがすきだ。（　　）

5 目的に向かって進む。（　　）
6 的はずれな答えを言う。（　　）

7 海底トンネルをくぐった。（　　）
8 底知れない力を出す。（　　）

9 労働してお金をえる。（　　）
10 兄は自動車工場で働いている。（　　）

2×10
/20

(三) 次の——線の**カタカナ**に合う**漢字**をえらんで、その漢字の**記号**に○をつけなさい。

1 初めて**ヒ**行機に乗った。（ア皮　イ飛　ウ悲）
2 親せきの家で夕**ハン**をいただく。（ア半　イ板　ウ飯）
3 学校の**フ**近の地図をつくる。（ア付　イ府　ウ負）
4 大**ヘン**なことになった。（ア返　イ辺　ウ変）
5 今年の目**ヒョウ**をきめる。（ア票　イ標　ウ表）
6 **バイ**雨前線が北上中である。（ア梅　イ倍　ウ売）
7 **ホウ**丁でネギをきざむ。（ア法　イ放　ウ包）
8 **フク**会長を選ぶ。（ア副　イ福　ウ服）
9 水泳で友人と**キョウ**争する。（ア協　イ強　ウ競）
10 話しかける**キ**会がない。（ア希　イ機　ウ季）

(四) 1×10 ／10

次の上の漢字の**太い画**のところは**筆順の何画目**か、下の漢字の**総《そう》画数は何画**か、**算用数字**（1、2、3…）で答えなさい。

〈例〉午 3 ― 守 6

1 希　2 共
3 観　4 城
5 旗

6 隊　7 阪
8 管　9 置
10 競

(四)の答え

1	2	3	4	5

6	7	8	9	10

(五) 2×10 ／20

次の漢字の読みは、**音読み**（**ア**）ですか、**訓読み**（**イ**）ですか。**記号**で答えなさい。

〈例〉顔《かお》 → イ

1 孫《そん》 □　2 省《せい》 □
3 折《おり》 □　4 説《せつ》 □
5 節《ふし》 □　6 束《たば》 □
7 争《そう》 □　8 側《がわ》 □
9 沖《おき》 □　10 積《せき》 □

(六) 2×5 ／10

後の□の中のひらがなを漢字になおして、意味が反対や対《つい》になることば（対義《ぎ》語）を書きなさい。□の中のひらがなは**一度だけ**使い、答えのらんに**漢字一字**を書きなさい。

〈例〉午前 ― 午後

全勝 ― 全 1
期待 ― 失 2
年始 ― 年 3
千秋楽 ― 4 日
運動 ― 5 止

しょ・せい・ぱい・ぼう・まつ

(六)の答え

1	2	3	4	5

（七）

2×7 ／14

次の——線のカタカナを○の中の漢字と送りがな（ひらがな）で答えのらんに書きなさい。

〈例〉（始）入学式がハジマル。　始まる

1 （参）うだるような暑さにマイル。

2 （唱）おまじないを三度トナエル。

3 （散）風がイチョウの葉をチラス。

4 （残）ラーメンのスープをノコス。

5 （試）新しい投球法をココロミル。

6 （低）今朝はずいぶんと気温がヒクイ。

7 （失）火事で大切な物をウシナウ。

（七）の答え

1	2	3	4	5	6	7

（八）

2×10 ／20

次の部首のなかまの漢字で□にあてはまる漢字一字を、答えのらんに書きなさい。

〈例〉艹（くさかんむり）　茶《ちゃ》色・転落《らく》

ア 糸（いとへん）

1 □《ぞく》出・2 □《きゅう》食・終 3 □《けつ》

イ 頁（おおがい）

番号 4 □《じゅん》・念 5 □《がん》・

ウ 宀（うかんむり）

宿 6 □《だい》

公 7 □《がい》・考 8 □《さつ》・

外交 9 □《かん》・10 □《あん》全

(九)

2×8　　／16

次の——線の**カタカナ**を**漢字**になおして答えのらんに書きなさい。

1　金**ギョ**すくいをやった。
2　父は四国の**ギョ**村で生まれた。
3　**キョク**所ますいをされた。
4　北**キョク**星をさがす。
5　**クン**主に家来がしたがう。
6　校長先生の**クン**辞を聞く。
7　赤組に**グン**配があがった。
8　都市部と**グン**部の人たちが交流する。

(九)の答え

1	5
2	**6**
3	**7**
4	**8**

(十)

2×10　　／20

上の漢字と下の□の中の漢字を組み合わせて**二字のじゅく語を二つ作り**、答えのらんに**記号**で書きなさい。

〈例〉　習

ア勉　イ字　ウ決　エ自　オ時

エ 習　／　習 イ

一、印

ア肉　イ四　ウ失　エ実　オ活

1 印　／　印 2

二、衣

ア整　イ径　ウ守　エ服　オ白

3 衣　／　衣 4

三、貨

ア題　イ車　ウ銀　エ鼻　オ階

5 貨　／　貨 6

四、街

ア市　イ等　ウ住　エ公　オ角

7 街　／　街 8

五、案

ア湖 イ答 ウ内 エ申 オ里

9 案
案 10

(十)の答え

1	2	3	4	5

6	7	8	9	10

2×20　/40

(十一) 次の——線の**カタカナ**を**漢字**になおして答えのらんに書きなさい。

1 **サク**夜から急に寒くなった。（　　）
2 マンゴーは宮**ザキ**県の名産だ。（　　）
3 家をつくる木**ザイ**を運ぶ。（　　）
4 白**サイ**をつけものにする。（　　）
5 年賀状《じょう》を**ス**ってもらう。（　　）
6 **ケッ**点はだれにでもある。（　　）
7 カルタの**フダ**をはじきとばす。（　　）
8 テスト用紙に**シ**名を記入する。（　　）
9 真心を**モット**も大切にしている。（　　）
10 教室に朝日が**サ**しこむ。（　　）
11 おだやかな天**コウ**がつづく。（　　）
12 **クマ**手を使って落ち葉を集める。（　　）
13 ロケットの打ち上げに成**コウ**した。（　　）
14 茶色の服を**コノ**んで着る。（　　）
15 薬を使って実**ケン**する。（　　）
16 友の言葉を**カタ**くしんじる。（　　）
17 父はとても**ケン**康です。（　　）
18 空き地にマンションが**タ**つ。（　　）
19 妹は手**ゲイ**がとくいだ。（　　）
20 **オ**いては子にしたがえ（　　）

正しい答えは、べっさつの24ページ。

7級

第6回★テスト（60分）

◇合計点◇

（200点満点の　　点）

- 140点以上 合かく
- 110点以上 合かくまであと一歩
- 80点以上 さらに努力しましょう

1×20　　／20

(一) 次の――線の**漢字の読み**を**ひらがな**で答えのらんに書きなさい。

1 完全に火の元を消す。（　）
2 新潟県にあるスキー場へ行く。（　）
3 お礼の印に花をおくる。（　）
4 酒の町として栄えている。（　）
5 名案が思いうかばない。（　）
6 実家で農作業を手伝う。（　）
7 べん当は各自持って行く。（　）
8 以前このへんは林だった。（　）
9 強力な新人が加わった。（　）
10 弟は争いごとをきらう。（　）
11 小づかいをつかい果たす。（　）
12 育英資《し》金で学校に行く。（　）
13 春になって草花が芽を出す。（　）
14 億万長者にいつかなりたい。（　）
15 百貨店でくつを買う。（　）
16 らんぼうな動作が改まった。（　）
17 放課後にサッカーをする。（　）
18 明るい街に生まれ変わった。（　）
19 機械を使って木を切る。（　）
20 敵《てき》に塩を送る（　）

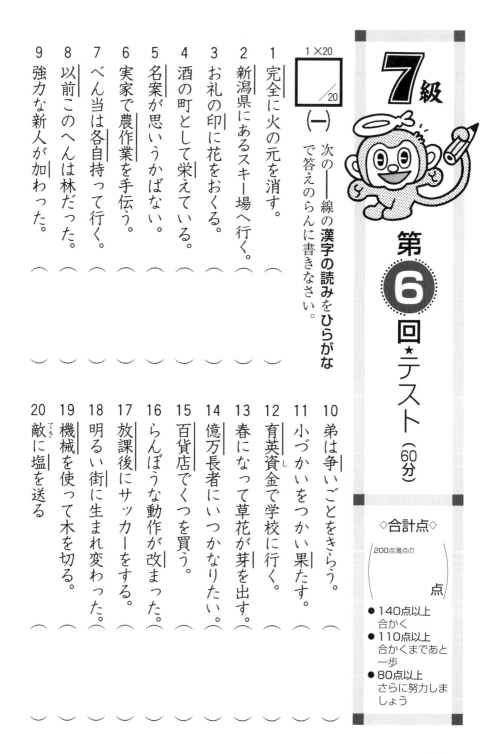

(二)

1×10 /10

次の各組の――線の**漢字の読み**を**ひらがな**で答えのらんに書きなさい。

1 知り合いの車に便乗する。（　　）
2 さくらの便りがとどいた。（　　）

3 屋上から町が一望できる。（　　）
4 まどから海が望める。（　　）

5 犬のふんを始末する。（　　）
6 末っ子の弟はとてもかわいい。（　　）

7 雲の形の変化をながめる。（　　）
8 いつのまにか天気が変わった。（　　）

9 一年前とはまるで別人だ。（　　）
10 親しい友人と別れるのがつらい。（　　）

(三)

2×10 /20

次の――線の**カタカナ**に合う**漢字**をえらんで、その漢字の**記号**に○をつけなさい。

1 弱気になっている人を**ユウ**気づける。（ア有　イ友　ウ勇）
2 明日は先**ヤク**がある。（ア約　イ役　ウ薬）
3 試合は有**リ**に進んだ。（ア里　イ利　ウ理）
4 塩の分**リョウ**をはかる。（ア良　イ料　ウ量）
5 **レイ**を挙げて話す。（ア冷　イ例　ウ礼）
6 文章の**ヨウ**点をつかむ。（ア要　イ用　ウ陽）
7 不**リョウ**の仲間にくわわらない。（ア両　イ良　ウ料）
8 きつい仕事のあとで休**ヨウ**する。（ア様　イ葉　ウ養）
9 リレーの**セン**手になった。（ア選　イ戦　ウ線）
10 メートルは長さの**タン**位だ。（ア短　イ炭　ウ単）

1×10

/10

(四)

次の上の漢字の**太い画**のところは**筆順の何画目**か、下の漢字の**総画**《そう》**数は何画**か、**算用数字**（1、2、3…）で答えなさい。

〈例〉午 3 ― 守 6

1 岐
2 最
3 固
4 験
5 滋
6 極
7 健
8 満
9 熊
10 潟

(四)の答え	1	2	3	4	5
	6	**7**	**8**	**9**	**10**

2×10

/20

(五)

次の漢字の読みは、**音読み**(ア)ですか、**訓読み**(イ)ですか。**記号**で答えなさい。

〈例〉顔《かお》 ↓ イ

1 帯《おび》
2 群《ぐん》
3 達《たつ》
4 巣《す》
5 伝《でん》
6 的《まと》
7 城《じょう》
8 徳《とく》
9 低《てい》
10 飯《めし》

2×5

/10

(六)

後の□の中のひらがなを漢字になおして、意味《い》が反対や対《つい》になることば(対義語《ぎ》)を書きなさい。□の中のひらがなは**一度だけ**使い、答えのらんに**漢字一字**を書きなさい。

〈例〉午前 ― 午後

海洋 ― 大 1

民有 ― 2 有

出席 ― 3 席

完勝 ― 完 4

受取人 ― 5 出人

かん・けっ・さし・ぱい・りく

(六)の答え	1	2	3	4	5

(七)

2×7　／14

次の――線のカタカナを○の中の漢字と送りがな(ひらがな)で答えのらんに書きなさい。

〈例〉(始) 入学式がハジマル。　[始まる]

1 (働) 食品工場でハタラク。

2 (省) 仕事でむだな手間をハブク。

3 (戦) 意見をのべあってタタカウ。

4 (静) シズカナ森の中でキャンプした。

5 (積) 雪が十センチツモル。

6 (折) 木の枝《えだ》がぽっきりオレル。

7 (続) 親子の話し合いをツヅケル。

(七)の答え

4	3	2	1

7	6	5

(八)

2×10　／20

次の部首のなかまの漢字で□にあてはまる漢字一字を、答えのらんに書きなさい。

〈例〉艹(くさかんむり)　[茶]《ちゃ》色・転[落]《らく》

ア 金(かねへん)　1 □《ろく》音・2 □《きょう》台・3 □《てっ》橋

イ 广(まだれ)　首 4 □《ふ》・谷 5 □《ぞこ》・車 6 □《こ》

ウ 灬(れんが・れっか)　7 □《む》口・8 □《しょう》明・自 9 □《ぜん》・10 □《ねっ》中

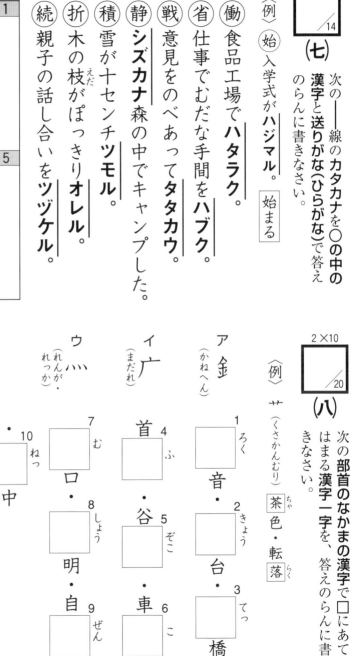

2×8 □ /16

(九)

次の――線の**カタカナ**を**漢字**になおして答えのらんに書きなさい。

1 直**ケイ**五センチの円をかく。
2 算数のノートに図**ケイ**をかいた。
3 音楽関**ケイ**の仕事についた。
4 福引きの**ケイ**品は自転車だった。
5 **コウ**福な一生を送った。
6 健**コウ**であることが一番だ。
7 歯ぐきから出**ケツ**する。
8 思いがけない**ケツ**末をむかえた。

(九)の答え

1	5
2	6
3	7
4	8

2×10 □ /20

(十)

上の漢字と下の□の中の漢字を組み合わせて**二字のじゅく語を二つ作り**、答えのらんに**記号**で書きなさい。

〈例〉習　ア勉　イ字　ウ決　エ自　オ時
エ 習　習 イ

一、軍　ア手　イ予　ウ空　エ皮　オ首
1 軍　軍 2

二、観　ア港　イ荷　ウ遊　エ悲　オ察
3 観　観 4

三、給　ア麦　イ料　ウ投　エ浅　オ配
5 給　給 6

四、議　ア長　イ協　ウ酒　エ理　オ去
7 議　議 8

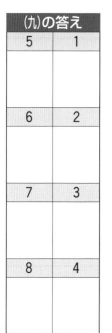

五、漁

ア 汽　イ 養　ウ 出　エ 村　オ 百

9	漁
漁	10

(十)の答え

1	6
2	7
3	8
4	9
5	10

(十一)

2×20　/40

次の――線のカタカナを漢字になおして答えのらんに書きなさい。

1 落ち葉でサツマイモを**ヤ**く。（　　）

2 滋**ガ**県にあるびわ湖は日本一大きい。（　　）

3 寺で念仏《ぶつ》を**トナ**える。（　　）

4 とんできた球を見**ウシナ**う。（　　）

5 仕事が**ジュン**調に進む。（　　）

6 これからそちらに**マイ**ります。（　　）

7 書店に英語の**ジ**書を買いに行く。（　　）

8 **ジ**童文学をたくさん読む。（　　）

9 全**チ**二週間のけがをした。（　　）

10 七月**ハジ**めに夏休みをとる。（　　）

11 ごはんを**ノコ**さず食べる。（　　）

12 兄の大学入学を**イワ**う。（　　）

13 テストに**シ**名を書いた。（　　）

14 **マワ**りの人はみんなやさしい。（　　）

15 **オキ**合いに小さな島が見える。（　　）

16 さまざまな**シュ**類の本を読む。（　　）

17 身のきけんを**サッ**知する。（　　）

18 図書館で植物の本を**カ**りる。（　　）

19 直売所で農**サン**物を安く売る。（　　）

20 目くそ鼻くそを**ワラ**う（　　）

正しい答えは、べっさつの26ページ。

7級

第7回★テスト（60分）

◇合計点◇

（200点満点の　　点）

- 140点以上　合かく
- 110点以上　合かくまであと一歩
- 80点以上　さらに努力しましょう

1×20

/20

（一）次の――線の**漢字の読み**を**ひらがな**で答えのらんに書きなさい。

1 兄と協力して犬小屋を作る。（　　）
2 命に関わるけがをした。（　　）
3 あらそいのない世界を願う。（　　）
4 奈良県にある大仏を見に行く。（　　）
5 国々の旗が風にゆれる。（　　）
6 助けを求めてさけぶ。（　　）
7 悲しくてずっと泣き明かした。（　　）
8 父親が授《じゅ》業参観に来た。（　　）
9 長年の望みがかなう。（　　）
10 庭に四季の花々がさく。（　　）
11 短期間に大量の雨がふり続く。（　　）
12 祖《そ》父は人徳のある人物だった。（　　）
13 母に手を挙げて合図する。（　　）
14 新しい花器にバラをいける。（　　）
15 共に同じ中学校に進んだ。（　　）
16 飛行機で名古屋に行く。（　　）
17 父は市の議員をしている。（　　）
18 きょうの給食はラーメンだ。（　　）
19 おじは漁業を仕事にしている。（　　）
20 目は心の鏡（　　）

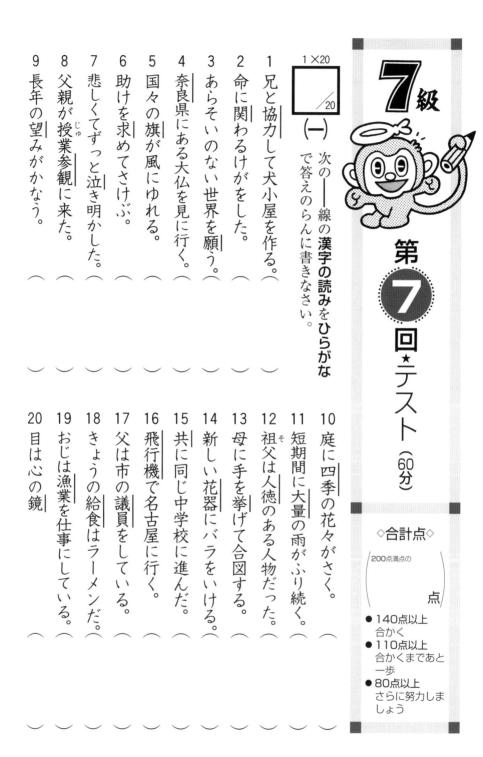

1×10 /10

(二)

次の各組の――線の**漢字の読み**を**ひらがな**で答えのらんに書きなさい。

1 弟が三輪車に乗っている。（　　）
2 大根を輪切りにする。（　　）
3 「良薬は口に苦し」という。（　　）
4 空が晴れて気持ちが良い。（　　）
5 朝の冷気がただよう。（　　）
6 みんなから冷たい目で見られる。（　　）
7 父の老化が気にかかる。（　　）
8 老いた木に花がさいた。（　　）
9 弟と連名で手紙を出す。（　　）
10 子どもたちを連れて遊園地に行く。（　　）

2×10 /20

(三)

次の――線の**カタカナ**に合う**漢字**をえらんで、その漢字の**記号**に○をつけなさい。

1 川に有**ガイ**物が流れこむ。（ア外　イ害　ウ街）
2 料理に食**エン**をくわえる。（ア塩　イ園　ウ遠）
3 水泳大会で上**イ**に入る。（ア以　イ委　ウ位）
4 記念金**カ**を集めている。（ア化　イ貨　ウ科）
5 駅へ行く道を**アン**内する。（ア暗　イ安　ウ案）
6 **イン**かんをおす。（ア印　イ員　ウ院）
7 絵を**カン**全に仕上げる。（ア漢　イ官　ウ完）
8 自分のよくないところを自**カク**する。（ア角　イ覚　ウ各）
9 パーティーの**シ**会をつとめる。（ア始　イ氏　ウ司）
10 時代の**ヘン**化が大きい。（ア変　イ返　ウ辺）

1×10 /10

(四)

次の上の漢字の**太い画**のところは**筆順の何画目**か、下の漢字の**総**《そう》**画数は何画**か、**算用数字**（1、2、3…）で答えなさい。

〈例〉午 3 ― 守 6

1 察　2 周　3 初　4 焼　5 佐

6 司　7 残　8 博　9 群　10 種

(四)の答え

1	2	3	4	5

6	7	8	9	10

2×10 /20

(五)

次の漢字の読みは、**音読み**（**ア**）ですか、**訓読み**（**イ**）ですか。**記号**で答えなさい。

〈例〉顔《かお》 → イ

1 別《べつ》　2 夫《おっと》　3 富《とみ》　4 飯《はん》

5 辺《べ》　6 兵《へい》　7 便《べん》　8 末《すえ》

9 梅《うめ》　10 変《へん》

2×5 /10

(六)

後の□の中のひらがなを漢字になおして、意味が反対や対《つい》になることば（対義《ぎ》語）を書きなさい。□の中のひらがなは**一度だけ**使い、答えのらんに**漢字一字**を書きなさい。

〈例〉午前 ― 午後

結果 ― 動 1

休息 ― 労 2

来年 ― 3 年

共通 ― 4 有

入学 ― 5 業

き・さく・そつ・どう・とく

(六)の答え

1	2	3	4	5

(七)

2×7 ／14

次の——線のカタカナを○の中の漢字と送りがな(ひらがな)で答えのらんに書きなさい。

〈例〉(始) 入学式がハジマル。 始まる

1 (帯) 昼間から酒気をオビル。
2 (低) ヒクイ声でひそひそ話す。
3 (伝) うわさはすぐにツタワル。
4 (努) つねに勉強にツトメル。
5 (借) 図書館で本をカリル。
6 (量) 学校で体重をハカル。
7 (争) 仲の悪い二人が言いアラソウ。

(七)の答え			
4	3	2	1
	7	6	5

(八)

2×10 ／20

次の部首のなかまの漢字で□にあてはまる漢字一字を、答えのらんに書きなさい。

〈例〉艹(くさかんむり) 茶《ちゃ》色・転落《らく》

ア 亻(にんべん)
内1□《がわ》・2□《けん》康・天3□《こう》

イ 辶(しんにょう・しんにゅう)
4□《そく》度・5□《うん》動・発6□《たつ》

ウ 攵(のぶん・ぼくづくり)
7□《かい》正・8□《さん》歩・勝9□《はい》・10□《せい》理

2×8

/16

(九)

次の――線の**カタカナ**を**漢字**になおして答えのらんに書きなさい。

1 旅行の予**サン**をつみ立てる。
2 国**サン**の野菜を選んで買う。

3 **グン**手をはめて作業する。
4 父は**グン**馬県出身だ。

5 年**ガ**はがきが発売される。
6 種子の発**ガ**を記録する。

7 学校の記**ショウ**をつける。
8 メニューに**ショウ**竹梅のランクがある。

(九)の答え

1	5
2	6
3	7
4	8

2×10

/20

(十)

上の漢字と下の□の中の漢字を組み合わせて**二字のじゅく語を二つ作り**、答えのらんに**記号**で書きなさい。

〈例〉習

ア勉 イ字 ウ決 エ自 オ時

エ 習 ／ 習 イ

一、利
ア成 イ氏 ウ令 エ用 オ勝
1 利 ／ 利 2

二、材
ア料 イ矢 ウ取 エ県 オ希
3 材 ／ 材 4

三、差
ア委 イ別 ウ空 エ交 オ整
5 差 ／ 差 6

四、景
ア決 イ品 ウ紙 エ暑 オ夜
7 景 ／ 景 8

五、結

ア局 イオ ウ完 エ建 オ会

9	
結	
結	10

(十)の答え	
1	6
2	7
3	8
4	9
5	10

(十一)

2×20　/40

次の――線の**カタカナ**を**漢字**になおして答えのらんに書きなさい。

1 神**ナ**川県にある海岸で遊んだ。（　）
2 新大**ジン**の顔ぶれがそろう。（　）
3 顔に太陽が**テ**りつける。（　）
4 きれいなリンゴを**エラ**び出す。（　）
5 **シン**号をよく見て道をわたる。（　）
6 めんどうな手間を**ハブ**く。（　）
7 全員着**セキ**して先生を待つ。（　）
8 **キヨ**らかなわき水を飲む。（　）
9 当**ゼン**のことをしてほめられる。（　）
10 自動車に荷物を**ツ**みこむ。（　）
11 今日は弟の**ソツ**業式だ。（　）
12 ゲームの**セツ**明書を読む。（　）
13 電車は終点で**オ**り返す。（　）
14 母と大事な約**ソク**をする。（　）
15 マンガの**ツヅ**きが楽しみだ。（　）
16 下じきで**セイ**電気をおこす。（　）
17 弟の勉強を**ソク**面から助ける。（　）
18 ツバメがのき下に**ス**をつくる。（　）
19 強いチームと**タタカ**う。（　）
20 **アサ**い川も深く渡《わた》れ（　）

正しい答えは、べっさつの28ページ。

7級

第8回★テスト（60分）

◇合計点◇

（200点満点の　　点）

- 140点以上　合かく
- 110点以上　合かくまであと一歩
- 80点以上　さらに努力しましょう

1×20

（　/20）

(一) 次の——線の**漢字の読み**を**ひらがな**で答えのらんに書きなさい。

1 香川県はうどんで有名だ。（　）
2 落として欠けた皿をすてる。（　）
3 結びのことばをのべる。（　）
4 坂の上に建つ教会に通う。（　）
5 しっかりと土をふみ固める。（　）
6 大量の木材を船で運ぶ。（　）
7 半径五センチの円をかく。（　）
8 夏の風景をスケッチする。（　）
9 兄の手品の芸におどろく。（　）
10 愛媛県の観光名所を調べる。（　）
11 漢字は中国から伝来した。（　）
12 兄は今年大学を受験する。（　）
13 救《すく》いの手を差しのべる。（　）
14 姉は料理教室に通い始めた。（　）
15 学校の周りには畑が多い。（　）
16 今週は悪天候が続く。（　）
17 市長に最もふさわしい人だ。（　）
18 熱が下がるまで安静にしている。（　）
19 家族全員健康です。（　）
20 好きこそものの上手なれ（　）

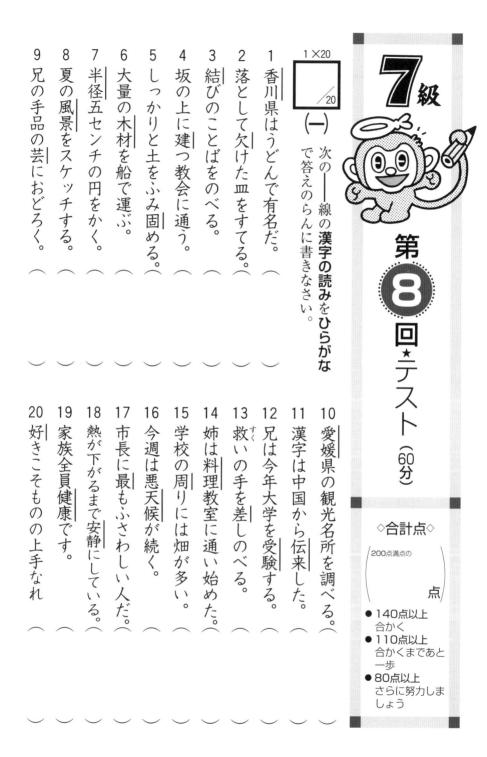

1×10
/10

(二) 次の各組の――線の**漢字の読み**を**ひらがな**で答えのらんに書きなさい。

1 ジャガイモが発芽した。（　　）
2 公園のサクラが芽ぶく。（　　）

3 塩分を少なめにとる。（　　）
4 塩ラーメンが大好きだ。（　　）

5 そばを追加注文した。（　　）
6 弟を野球チームに加える。（　　）

7 勉強の成果が上がった。（　　）
8 果たして君の言う通りだろうか。（　　）

9 兄としての自覚を持つ。（　　）
10 テニスのサーブのコツを覚える。（　　）

2×10
/20

(三) 次の――線の**カタカナ**に合う**漢字**をえらんで、その漢字の**記号**に○をつけなさい。

1 水道**カン**がさびる。（ア完　イ管　ウ館）
2 町の美化に**キョウ**力する。（ア強　イ競　ウ協）
3 四**キ**の中では夏が好きだ。（ア季　イ期　ウ気）
4 ボランティアに**カン**心がある。（ア関　イ間　ウ感）
5 北**キョク**星が見える。（ア局　イ曲　ウ極）
6 オリンピックの入場行進で**キ**手をつとめる。（ア記　イ旗　ウ起）
7 **キュウ**食を食べた。（ア急　イ給　ウ休）
8 楽**キ**をえんそうする。（ア汽　イ機　ウ器）
9 ゲームの**セツ**明書を読む。（ア切　イ折　ウ説）
10 **レイ**静になって考える。（ア礼　イ冷　ウ令）

(四)

1×10　／10

次の上の漢字の**太い画**のところは**筆順の何画目**か、下の漢字の**総《そう》画数は何画**か、**算用数字**（1、2、3…）で答えなさい。

〈例〉午 3
　　　守 6

1 臣　2 然　3 浅　4 成　5 巣

6 静　7 続　8 照　9 選　10 察

(四)の答え	1	2	3	4	5
	6	**7**	**8**	**9**	**10**

(五)

2×10　／20

次の漢字の読みは、**音読み**（ア）ですか、**訓読み**（イ）ですか。**記号**で答えなさい。

〈例〉顔《かお》→ イ

1 約《やく》 □　2 輪《わ》 □

3 類《るい》 □　4 連《れん》 □

5 折《おり》 □　6 億《おく》 □

7 陸《りく》 □　8 共《とも》 □

9 民《みん》 □　10 害《がい》 □

(六)

2×5　／10

後の□の中のひらがなを漢字になおして、意味が反対や対《つい》になることば（対義《ぎ》語）を書きなさい。□の中のひらがなは**一度だけ**使い、答えのらんに**漢字一字**を書きなさい。

〈例〉午前 ― 午後

敗北 ― 勝 1

放火 ― 2 火

発病 ― 完 3

無学 ― 4 学

固定 ― 5 動

しっ・ち・はく・へん・り

(六)の答え	1	2	3	4	5

2×7

□ /14

(七)

次の——線のカタカナを○の中の漢字と送りがな(ひらがな)で答えのらんに書きなさい。

〈例〉(始) 入学式がハジマル。 始まる

1 (清) 小川のキヨイ流れを魚が泳ぐ。

2 (飛) ひどいデマをトバス。

3 (必) 人にかりた本はカナラズ返す。

4 (付) ざっしにおまけをツケル。

5 (別) 校門の前で兄弟がワカレル。

6 (辺) スリがアタリを気にする。

7 (照) 先生にほめられてテレル。

(七)の答え

4	3	2	1

7	6	5

2×10

□ /20

(八)

次の部首のなかまの漢字で□にあてはまる漢字一字を、答えのらんに書きなさい。

〈例〉艹(くさかんむり) 茶《ちゃ》色・転落《らく》

ア 禾(のぎへん)

面□1《せき》・□2《しゅ》目・一□3《びょう》間

イ 頁(おおがい)

□4《がん》書・先□5《とう》・横□6《がお》

ウ 力(ちから)

□7《ろう》働・追□8《か》・□9《ゆう》気・□10《ど》力

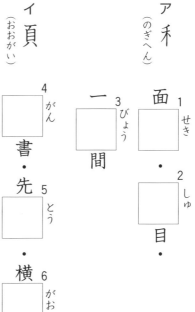

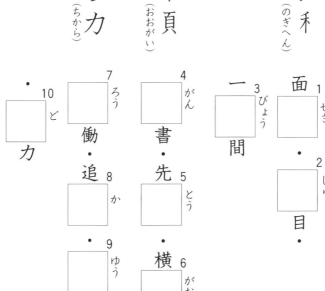

(九)

2×8 /16

次の——線のカタカナを漢字になおして答えのらんに書きなさい。

1 子犬がどんどんセイ長する。
2 今日一日を反セイする。

3 遠足のソウ談がまとまる。
4 世界中から戦ソウをなくしたい。

5 読んだ本の感ソウ文を書く。
6 港にたくさんソウ庫がならぶ。

7 北国の農ソンで生まれた。
8 わが家は平家の子ソンだという。

(九)の答え

1	5
2	6
3	7
4	8

(十)

2×10 /20

上の漢字と下の□の中の漢字を組み合わせて二字のじゅく語を二つ作り、答えのらんに記号で書きなさい。

〈例〉習　ア勉　イ字　ウ決　エ自　オ時

エ習　習イ

一、順　ア雲　イ手　ウ他　エ番　オ分

1 順　順 2

二、産　ア科　イ号　ウ想　エ州　オ国

3 産　産 4

三、司　ア曲　イ科　ウ会　エ行　オ横

5 司　司 6

四、浴　ア予　イ部　ウ室　エ帳　オ入

7 浴　浴 8

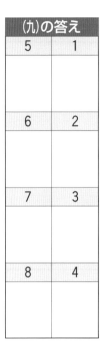

五、参

ア日 イ考 ウ根 エ具 オ界

9 参

参 10

(十)の答え	
1	6
2	7
3	8
4	9
5	10

(十一)

2×20 /40

次の――線の**カタカナ**を**漢字**になおして答えのらんに書きなさい。

1 **ナカ**良しが集まって遊ぶ。（　）

2 たくさんの漢字を**オボ**える。（　）

3 奈良公園で**シカ**にせんべいをあげた。（　）

4 大きな目**ヒョウ**がある。（　）

5 祖《そ》父は**トク**島県に住んでいる。（　）

6 **ハタラ**いてお金をかせぐ。（　）

7 **セツ**分に豆まきをする。（　）

8 **ザン**念だがぼくの負けだ。（　）

9 こうげきする**マト**をしぼる。（　）

10 一**チョウ**円の予算を組む。（　）

11 雲が**ヒク**くたれこめている。（　）

12 観光で大阪**ジョウ**をおとずれる。（　）

13 本を元の**オ**き場所にしまう。（　）

14 高山植物が**グン**生している。（　）

15 空が赤みを**オ**びてきた。（　）

16 札幌《さっぽろ》で雪の祭**テン**が開かれる。（　）

17 先生に生**ト**会の意見をのべる。（　）

18 くつの**ソコ**にあながあいた。（　）

19 **ボク**場で牛のちちをしぼった。（　）

20 **トウ**台もと暗し（　）

正しい答えは、べっさつの30ページ。

8級の重要《よう》な漢字

8級の漢字検定《けん》でかならず出題《だい》される漢字です。これは小学三年生で習う漢字で、二〇〇字あります。

なお、( )がついた読みは、4級以上《い》の上級に出る読み方で、8級には出題《だい》されません。訓《くん》読みの細い字は、おくりがなです。7級より上の漢字には色がついています。

悪
11画
音 アク (オ)
くん わるい
部首 心(こころ)
悪友《あくゆう》・悪人《あくにん》・悪口《わるくち》

安
6画
音 アン
くん やすい
部首 宀(うかんむり)
安心《あんしん》・安全《あんぜん》・安物《やすもの》

暗
13画
音 アン
くん くらい
部首 日(ひへん)
暗記《あんき》・暗号《あんごう》・暗《くら》がり

医
7画
音 イ
くん ―
部首 匚(かくしがまえ)
医者《いしゃ》・医院《いいん》・医学《いがく》

委
8画
音 イ
くん ゆだねる
部首 女(おんな)
委員会《いいんかい》・人に委《ゆだ》ねる

意
13画
音 イ
くん ―
部首 心(こころ)
意見《いけん》・意味《いみ》・用意《ようい》

育
8画
音 イク
くん そだつ そだてる はぐくむ
部首 肉(にく)
教育《きょういく》・体育《たいいく》・発育《はついく》

員
10画
音 イン
くん ―
部首 口(くち)
社員《しゃいん》・部員《ぶいん》・全員《ぜんいん》

院
10画
音 イン
くん ―
部首 阝(こざとへん)
院長《いんちょう》・病院《びょういん》・寺院《じいん》

飲
12画
音 イン
くん のむ
部首 飠(しょくへん)
飲食《いんしょく》・飲用《いんよう》・飲《の》み物《もの》

運
12画
音 ウン
くん はこぶ
部首 辶(しんにょう)
運動《うんどう》・幸運《こううん》・足《あし》を運《はこ》ぶ

泳
8画
音 エイ
くん およぐ
部首 氵(さんずい)
水泳《すいえい》・遊泳《ゆうえい》・平泳《ひらおよ》ぎ

駅
14画
音 エキ
くん ―
部首 馬(うまへん)
駅長《えきちょう》・駅員《えきいん》・終着駅《しゅうちゃくえき》

央
5画
音 オウ
くん —
部首 大（だい）
中央《ちゅうおう》・中央口《ちゅうおうぐち》

横
15画
音 オウ
くん よこ
部首 木（きへん）
横着《おうちゃく》・横町《よこちょう》・横文字《よこもじ》

屋
9画
音 オク
くん や
部首 尸（しかばね／かばね）
屋上《おくじょう》・屋根《やね》・本屋《ほんや》

温
12画
音 オン
くん あたたかい あたたまる あたためる
部首 氵（さんずい）
温度《おんど》・体温《たいおん》・温《あたた》かい心《こころ》

化
4画
音 カ（ケ）
くん ばける ばかす
部首 匕（ひ）
化学《かがく》・電化《でんか》・化《ば》け物《もの》

荷
10画
音 （カ）
くん に
部首 艹（くさかんむり）
荷物《にもつ》・重荷《おもに》・荷馬車《にばしゃ》

界
9画
音 カイ
くん —
部首 田（た）
世界《せかい》・外界《がいかい》・下界《げかい》

開
12画
音 カイ
くん ひらく ひらける あける
部首 門（もんがまえ）
開会《かいかい》・全開《ぜんかい》・山開《やまびら》き

階
12画
音 カイ
くん —
部首 阝（こざとへん）
階上《かいじょう》・階級《かいきゅう》・地階《ちかい》

寒
12画
音 カン
くん さむい
部首 宀（うかんむり）
寒風《かんぷう》・大寒《だいかん》・寒空《さむぞら》

感
13画
音 カン
くん —
部首 心（こころ）
感動《かんどう》・感想《かんそう》・流感《りゅうかん》

漢
13画
音 カン
くん —
部首 氵（さんずい）
漢字《かんじ》・漢方薬《かんぽうやく》・悪漢《あっかん》

館
16画
音 カン
くん やかた
部首 食（しょくへん）
館長《かんちょう》・旅館《りょかん》・図書館《としょかん》

岸
8画
音 ガン
くん きし
部首 山（やま）
海岸《かいがん》・両岸《りょうがん》・川岸《かわぎし》

起
10画
音 キ
くん おきる おこる おこす
部首 走（そうにょう）
起立《きりつ》・起点《きてん》・早起《はやお》き

期
12画

音 キ（ゴ）

くん —

部首 月（つき）

期間《きかん》・時期《じき》・新学期《しんがっき》

客
9画

音 キャク（カク）

くん —

部首 宀（うかんむり）

客間《きゃくま》・客車《きゃくしゃ》・乗客《じょうきゃく》

究
7画

音 キュウ

くん（きわめる）

部首 穴（あなかんむり）

究明《きゅうめい》・研究《けんきゅう》・追究《ついきゅう》

急
9画

音 キュウ

くん いそぐ

部首 心（こころ）

急行《きゅうこう》・早急《そう(さっ)きゅう》・急《いそ》ぎ足《あし》

級
9画

音 キュウ

くん —

部首 糸（いとへん）

級長《きゅうちょう》・高級《こうきゅう》・同級生《どうきゅうせい》

宮
10画

音 キュウ（グウ）（ク）

くん みや

部首 宀（うかんむり）

宮中《きゅうちゅう》・お宮《みや》まいり

球
11画

音 キュウ

くん たま

部首 王（おうへん）

球場《きゅうじょう》・地球《ちきゅう》・球拾《たまひろ》い

去
5画

音 キョ コ

くん さる

部首 ム（む）

去年《きょねん》・死去《しきょ》

橋
16画

音 キョウ

くん はし

部首 木（きへん）

鉄橋《てっきょう》・歩道橋《ほどうきょう》・石橋《いしばし》

業
13画

音 ギョウ（ゴウ）

くん（わざ）

部首 木（き）

業界《ぎょうかい》・作業《さぎょう》・事業《じぎょう》

曲
6画

音 キョク

くん まがる まげる

部首 曰（ひらび いわく）

曲線《きょくせん》・作曲《さっきょく》・曲《ま》がり角《かど》

局
7画

音 キョク

くん —

部首 尸（しかばね かばね）

局所《きょくしょ》・電話局《でんわきょく》・薬局《やっきょく》

銀
14画

音 ギン

くん —

部首 金（かねへん）

銀行《ぎんこう》・銀世界《ぎんせかい》・白銀《はくぎん》

区
4画

音 ク

くん —

部首 匚（かくしがまえ）

区分《くぶん》・区画《くかく》・区役所《くやくしょ》

苦
8画

音 ク

くん くるしい くるしむ にがい

部首 艹（くさかんむり）

苦心《くしん》・病苦《びょうく》・苦虫《にがむし》

具
8画
音 グ
くん —
部首 八(は)
具体《ぐたい》・工具《こうぐ》・道具《どうぐ》

君
7画
音 クン
くん きみ
部首 口(くち)
君主《くんしゅ》・父君《ちちぎみ》・君《きみ》たち

係
9画
音 ケイ
くん かかる かかり
部首 亻(にんべん)
係数《けいすう》・かん係《けい》・係員《かかりいん》

軽
12画
音 ケイ
くん かるい (かろやか)
部首 車(くるまへん)
軽油《けいゆ》・軽工業《けいこうぎょう》・軽石《かるいし》

血
6画
音 ケツ
くん ち
部首 血(ち)
血色《けっしょく》・出血《しゅっけつ》・鼻血《はなぢ》

決
7画
音 ケツ
くん きめる きまる
部首 氵(さんずい)
決心《けっしん》・対決《たいけつ》・決《き》め手《て》

研
9画
音 ケン
くん (とぐ)
部首 石(いしへん)
研究《けんきゅう》

県
9画
音 ケン
くん —
部首 目(め)
県道《けんどう》・全県《ぜんけん》・青森県《あおもりけん》

庫
10画
音 コ (ク)
くん —
部首 广(まだれ)
金庫《きんこ》・文庫《ぶんこ》・車庫《しゃこ》

湖
12画
音 コ
くん みずうみ
部首 氵(さんずい)
湖水《こすい》・湖上《こじょう》・森《もり》の湖《みずうみ》

向
6画
音 コウ
くん むく むける むかう
部首 口(くち)
向上《こうじょう》・方向《ほうこう》・上向《うわむ》き

幸
8画
音 コウ
くん さいわい しあわせ (さち)
部首 干《かん》(いちじゅう)
幸運《こううん》・幸福《こうふく》・不幸《ふしあわ》せ

港
12画
音 コウ
くん みなと
部首 氵(さんずい)
港内《こうない》・空港《くうこう》・港町《みなとまち》

号
5画
音 ゴウ
くん —
部首 口(くち)
号外《ごうがい》・記号《きごう》・二号車《にごうしゃ》

根
10画
音 コン
くん ね
部首 木(きへん)
根気《こんき》・大根《だいこん》・根元《ねもと》

祭
11画
- 音 サイ
- くん まつる　まつり
- 部首 示（しめす）

祭日《さいじつ》・文化祭《ぶんかさい》・花祭《はなまつ》り

皿
5画
- 音
- くん さら
- 部首 皿（さら）

皿回《さらまわ》し・小皿《こざら》・絵皿《えざら》

仕
5画
- 音 シ（ジ）
- くん つかえる
- 部首 亻（にんべん）

仕事《しごと》・仕方《しかた》・宮仕《みやづか》え

死
6画
- 音 シ
- くん しぬ
- 部首 歹（かばねへん　がつへん　いちたへん）

死人《しにん》・死体《したい》・早死《はやじ》に

使
8画
- 音 シ
- くん つかう
- 部首 亻（にんべん）

使用《しよう》・天使《てんし》・使《つか》い道《みち》

始
8画
- 音 シ
- くん はじめる　はじまる
- 部首 女（おんなへん）

始業《しぎょう》・開始《かいし》・手始《てはじ》め

指
9画
- 音 シ
- くん ゆび　さす
- 部首 扌（てへん）

指名《しめい》・親指《おやゆび》・指図《さしず》

歯
12画
- 音 シ
- くん は
- 部首 歯（は）

歯科医《しかい》・犬歯《けんし》・前歯《まえば》

詩
13画
- 音 シ
- くん ―
- 部首 言（ごんべん）

詩人《しじん》・詩集《ししゅう》・作詩《さくし》

次
6画
- 音 ジ（シ）
- くん つぐ　つぎ
- 部首 欠（あくび　かける）

次回《じかい》・次点《じてん》・取次所《とりつぎじょ》

事
8画
- 音 ジ（ズ）
- くん こと
- 部首 亅（はねぼう）

事業《じぎょう》・火事《かじ》・大事《おおごと》

持
9画
- 音 ジ
- くん もつ
- 部首 扌（てへん）

持病《じびょう》・所持《しょじ》・長持《ながも》ち

式
6画
- 音 シキ
- くん ―
- 部首 弋（しきがまえ）

式場《しきじょう》・形式《けいしき》・入学式《にゅうがくしき》

実
8画
- 音 ジツ
- くん み　みのる
- 部首 宀（うかんむり）

実行《じっこう》・実物《じつぶつ》・木の実《み》

写
5画
- 音 シャ
- くん うつす　うつる
- 部首 冖（わかんむり）

写真《しゃしん》・実写《じっしゃ》・大写《おおうつ》し

者（8画）
音 シャ
くん もの
部首 耂（おいかんむり／おいがしら）
学者《がくしゃ》・作者《さくしゃ》・悪者《わるもの》

主（5画）
音 シュ（ス）
くん ぬし　おも
部首 丶（てん）
主人《しゅじん》・主力《しゅりょく》・地主《じぬし》

守（6画）
音 シュ（ス）
くん まもる（もり）
部首 宀（うかんむり）
死守《ししゅ》・お守《まも》り

取（8画）
音 シュ
くん とる
部首 又（また）
先取点《せんしゅてん》・書《か》き取《と》り

酒（10画）
音 シュ
くん さけ　さか
部首 酉（ひよみのとり）
洋酒《ようしゅ》・白酒《しろざけ》・酒屋《さかや》

受（8画）
音 ジュ
くん うける　うかる
部首 又（また）
受理《じゅり》・感受《かんじゅ》・受付《うけつけ》

州（6画）
音 シュウ
くん（す）
部首 川（かわ）
本州《ほんしゅう》・九州《きゅうしゅう》・州知事《しゅうちじ》

拾（9画）
音（シュウ）（ジュウ）
くん ひろう
部首 扌（てへん）
貝拾《かいひろ》い・命拾《いのちびろ》い

終（11画）
音 シュウ
くん おわる　おえる
部首 糸（いとへん）
終業《しゅうぎょう》・終電《しゅうでん》・終《お》わり

習（11画）
音 シュウ
くん ならう
部首 羽（はね）
習字《しゅうじ》・学習《がくしゅう》・見習《みなら》い

集（12画）
音 シュウ
くん あつまる　あつめる（つどう）
部首 隹（ふるとり）
集計《しゅうけい》・詩集《ししゅう》・人集《ひとあつ》め

住（7画）
音 ジュウ
くん すむ　すまう
部首 亻（にんべん）
住所《じゅうしょ》・住人《じゅうにん》・住《す》まい

重（9画）
音 ジュウ　チョウ
くん おもい　かさねる（え）
部首 里（さと）
重心《じゅうしん》・二重《にじゅう》・重《かさ》ね着《ぎ》

宿（11画）
音 シュク
くん やど　やどる　やどす
部首 宀（うかんむり）
宿題《しゅくだい》・合宿《がっしゅく》・雨宿《あまやど》り

所（8画）
音 ショ
くん ところ
部首 戸（と）
所持《しょじ》・名所《めいしょ》・台所《だいどころ》

暑
12画
音 ショ
くん あつい
部首 日（ひ）
暑中《しょちゅう》・暑苦《あつくる》しい
暑暑暑

助
7画
音 ジョ
くん たすける たすかる （すけ）
部首 力（ちから）
助言《じょげん》・内助《ないじょ》・手助《てだす》け

昭
9画
音 ショウ
くん —
部首 日（ひへん）
昭和《しょうわ》・昭和新山《しょうわしんざん》

消
10画
音 ショウ
くん きえる けす
部首 氵（さんずい）
消火《しょうか》・消化《しょうか》・火消《ひけ》し
消

商
11画
音 ショウ
くん （あきなう）
部首 口（くち）
商人《しょうにん》・商社《しょうしゃ》・画商《がしょう》
商商商

章
11画
音 ショウ
くん —
部首 立（たつ）
文章《ぶんしょう》・記章《きしょう》・第一章《だいいっしょう》
章章

勝
12画
音 ショウ
くん かつ （まさる）
部首 力（ちから）
勝者《しょうしゃ》・決勝《けっしょう》・勝《か》ち気《き》
勝勝勝

乗
9画
音 ジョウ
くん のる のせる
部首 ノ（のはらいぼう）
乗車《じょうしゃ》・同乗《どうじょう》・乗《の》り物《もの》

植
12画
音 ショク
くん うえる うわる
部首 木（きへん）
植物《しょくぶつ》・植木《うえき》・田植《たう》え
植植植

申
5画
音 （シン）
くん もうす
部首 田（た）
申《もう》し分《ぶん》・申《もう》し出《で》

身
7画
音 シン
くん み
部首 身（み）
身体《しんたい》・全身《ぜんしん》・身分《みぶん》

神
9画
音 シン・ジン
くん かみ （かん） （こう）
部首 ネ（しめすへん）
神話《しんわ》・神社《じんじゃ》・神様《かみさま》

真
10画
音 シン
くん ま
部首 目（め）
真実《しんじつ》・真理《しんり》・真夏《まなつ》
真

深
11画
音 シン
くん ふかい ふかまる ふかめる
部首 氵（さんずい）
深夜《しんや》・深海《しんかい》・根深《ねぶか》い
深深

進
11画
音 シン
くん すすむ すすめる
部首 辶（しんにょう）（しんにゅう）
進学《しんがく》・前進《ぜんしん》・前《まえ》へ進《すす》む
進進

世
5画
- 音：セイ　セ
- くん：よ
- 部首：一（いち）
- 近世《きんせい》・世間《せけん》・世《よ》の中《なか》

整
16画
- 音：セイ
- くん：ととのえる　ととのう
- 部首：攵（のぶん　ぼくづくり）
- 整地《せいち》・整列《せいれつ》・調整《ちょうせい》

昔
8画
- 音：（シャク）（セキ）
- くん：むかし
- 部首：日（ひ）
- 昔話《むかしばなし》・大昔《おおむかし》

全
6画
- 音：ゼン
- くん：まったく　すべて
- 部首：入（いる）
- 全国《ぜんこく》・全《すべ》ての国《くに》

相
9画
- 音：ソウ（ショウ）
- くん：あい
- 部首：目（め）
- 相談《そうだん》・人相《にんそう》・相手《あいて》

送
9画
- 音：ソウ
- くん：おくる
- 部首：辶（しんにょう　しんにゅう）
- 送金《そうきん》・発送《はっそう》・見送《みおく》り

想
13画
- 音：ソウ（ソ）
- くん：―
- 部首：心（こころ）
- 想定《そうてい》・感想《かんそう》・空想《くうそう》

息
10画
- 音：ソク
- くん：いき
- 部首：心（こころ）
- 安息《あんそく》・休息《きゅうそく》・息切《いきぎ》れ

速
10画
- 音：ソク
- くん：はやい　はやめる　はやまる
- 部首：辶（しんにょう　しんにゅう）
- 速力《そくりょく》・時速《じそく》・高速《こうそく》

族
11画
- 音：ゾク
- くん：―
- 部首：方（ほうへん　かたへん）
- 家族《かぞく》・一族《いちぞく》・水族館《すいぞくかん》

他
5画
- 音：タ
- くん：ほか
- 部首：亻（にんべん）
- 他人《たにん》・他国《たこく》・自他《じた》

打
5画
- 音：ダ
- くん：うつ
- 部首：扌（てへん）
- 打球《だきゅう》・火打《ひう》ち石《いし》

対
7画
- 音：タイ（ツイ）
- くん：―
- 部首：寸（すん）
- 対戦《たいせん》・対話《たいわ》・反対《はんたい》

待
9画
- 音：タイ
- くん：まつ
- 部首：彳（ぎょうにんべん）
- 期待《きたい》・待合室《まちあいしつ》

代
5画
- 音：ダイ・タイ
- くん：かわる　かえる・よ（しろ）
- 部首：亻（にんべん）
- 代金《だいきん》・交代《こうたい》・君《きみ》が代《よ》

第
11画
音 ダイ
くん —
部首 ⺮（たけかんむり）
第一回《だいいっかい》・落第《らくだい》

題
18画
音 ダイ
くん —
部首 頁（おおがい）
題名《だいめい》・問題《もんだい》・話題《わだい》

炭
9画
音 タン
くん すみ
部首 火（ひ）
木炭《もくたん》・石炭《せきたん》・炭火《すみび》

短
12画
音 タン
くん みじかい
部首 矢（やへん）
短歌《たんか》・短時間《たんじかん》・手短《てみじか》

談
15画
音 ダン
くん —
部首 言（ごんべん）
談話《だんわ》・相談《そうだん》・美談《びだん》

着
12画
音 チャク（ジャク）
くん きる つく
部首 羊（ひつじ）
着用《ちゃくよう》・発着《はっちゃく》・着物《きもの》

注
8画
音 チュウ
くん そそぐ
部首 氵（さんずい）
注意《ちゅうい》・発注《はっちゅう》・力《ちから》を注《そそ》ぐ

柱
9画
音 チュウ
くん はしら
部首 木（きへん）
電柱《でんちゅう》・門柱《もんちゅう》・大黒柱《だいこくばしら》

丁
2画
音 チョウ（テイ）
くん —
部首 一（いち）
一丁《いっちょう》・丁目《ちょうめ》・落丁《らくちょう》

帳
11画
音 チョウ
くん —
部首 巾（はばへん きんべん）
帳面《ちょうめん》・手帳《てちょう》・日記帳《にっきちょう》

調
15画
音 チョウ
くん しらべる（ととのう）（ととのえる）
部首 言（ごんべん）
調和《ちょうわ》・強調《きょうちょう》・下調《したしら》べ

追
9画
音 ツイ
くん おう
部首 辶（しんにょう しんにゅう）
追究《ついきゅう》・急追《きゅうつい》・追《お》っ手《て》

定
8画
音 テイ・ジョウ
くん さだめる さだまる（さだか）
部首 宀（うかんむり）
決定《けってい》・定《じょう》ぎ・品定《しなさだ》め

庭
10画
音 テイ
くん にわ
部首 广（まだれ）
庭園《ていえん》・校庭《こうてい》・庭木《にわき》

笛
11画
音 テキ
くん ふえ
部首 ⺮（たけかんむり）
汽笛《きてき》・口笛《くちぶえ》・草笛《くさぶえ》

鉄
13画
音 テツ
くん —
部首 金（かねへん）
鉄道《てつどう》・鉄橋《てっきょう》・地下鉄《ちかてつ》

転
11画
音 テン
くん ころがる ころがす ころぶ
部首 車（くるまへん）
転落《てんらく》・自転車《じてんしゃ》・回転《かいてん》

都
11画
音 ト ツ
くん みやこ
部首 阝（おおざと）
都市《とし》・都合《つごう》・都落《みやこお》ち

度
9画
音 ド （タク）
くん （たび）
部首 广（まだれ）
今度《こんど》・温度《おんど》・年度《ねんど》

投
7画
音 トウ
くん なげる
部首 扌（てへん）
投球《とうきゅう》・上手投《うわてな》げ

豆
7画
音 トウ ズ
くん まめ
部首 豆（まめ）
豆《とう》ふ・大豆《だいず》・豆電球《まめでんきゅう》

島
10画
音 トウ
くん しま
部首 山（やま）
半島《はんとう》・小島《こじま》・島国《しまぐに》

湯
12画
音 トウ
くん ゆ
部首 氵（さんずい）
名湯《めいとう》・湯船《ゆぶね》・湯気《ゆげ》

登
12画
音 トウ ト
くん のぼる
部首 癶（はつがしら）
登校《とうこう》・登山《とざん》・山登《やまのぼ》り

等
12画
音 トウ
くん ひとしい
部首 ⺮（たけかんむり）
等分《とうぶん》・上等《じょうとう》・一等《いっとう》

動
11画
音 ドウ
くん うごく うごかす
部首 力（ちから）
動物《どうぶつ》・運動《うんどう》・身動《みうご》き

童
12画
音 ドウ
くん （わらべ）
部首 立（たつ）
童話《どうわ》・童心《どうしん》・学童《がくどう》

農
13画
音 ノウ
くん —
部首 辰（しんのたつ）
農家《のうか》・農地《のうち》・農村《のうそん》

波
8画
音 ハ
くん なみ
部首 氵（さんずい）
波動《はどう》・電波《でんぱ》・人波《ひとなみ》

配
10画
音 ハイ
くん くばる
部首 酉（とりへん）
配送《はいそう》・心配《しんぱい》・気配《きくば》り

倍
10画
音 バイ
くん ―
部首 亻（にんべん）
倍数《ばいすう》・二倍《にばい》・人一倍《ひといちばい》

箱
15画
音 ―
くん はこ
部首 ⺮（たけかんむり）
本箱《ほんばこ》・小箱《こばこ》・玉手箱《たまてばこ》

畑
9画
音 ―
くん はた はたけ
部首 田（た）
畑作《はたさく》・畑仕事《はたけしごと》・花畑《はなばたけ》

発
9画
音 ハツ（ホツ）
くん ―
部首 癶（はつがしら）
発車《はっしゃ》・発送《はっそう》・出発《しゅっぱつ》

反
4画
音 ハン（タン・ホン）
くん そる そらす
部首 又（また）
反対《はんたい》・反動《はんどう》・反《そ》り身《み》

坂
7画
音 （ハン）
くん さか
部首 土（つちへん）
坂道《さかみち》・山坂《やまさか》・上《のぼ》り坂《ざか》

板
8画
音 ハン バン
くん いた
部首 木（きへん）
鉄板《てっぱん》・黒板《こくばん》・羽子板《はごいた》

皮
5画
音 ヒ
くん かわ
部首 皮（けがわ）
表皮《ひょうひ》・皮《ひ》ふ科《か》・毛皮《けがわ》

悲
12画
音 ヒ
くん かなしい かなしむ
部首 心（こころ）
悲運《ひうん》・悲《かな》しみ

美
9画
音 ビ
くん うつくしい
部首 羊（ひつじ）
美人《びじん》・美女《びじょ》・美点《びてん》

鼻
14画
音 （ビ）
くん はな
部首 鼻（はな）
鼻歌《はなうた》・鼻声《はなごえ》・小鼻《こばな》

筆
12画
音 ヒツ
くん ふで
部首 ⺮（たけかんむり）
筆記《ひっき》・毛筆《もうひつ》・筆入《ふでい》れ

氷
5画
音 ヒョウ
くん こおり（ひ）
部首 水（みず）
氷山《ひょうざん》・流氷《りゅうひょう》・かき氷《ごおり》

表
8画
音 ヒョウ
くん おもて あらわす あらわれる
部首 衣（ころも）
表紙《ひょうし》・図表《ずひょう》・表書《おもてが》き

秒
9画
音 ビョウ
くん ―
部首 禾（のぎへん）
秒《びょう》しん・秒読《びょうよ》み

病　10画
音　ビョウ（ヘイ）
くん　やまい（やむ）
部首　疒（やまいだれ）
病気《びょうき》・急病《きゅうびょう》・重《おも》い病《やまい》

品　9画
音　ヒン
くん　しな
部首　口（くち）
品行《ひんこう》・作品《さくひん》・手品《てじな》

負　9画
音　フ
くん　まける　まかす　おう
部首　貝（こがい）
勝負《しょうぶ》・根負《こんま》け・負《お》い目《め》

部　11画
音　ブ
くん　―
部首　阝（おおざと）
部品《ぶひん》・部長《ぶちょう》・本部《ほんぶ》

服　8画
音　フク
くん　―
部首　月（つきへん）
服用《ふくよう》・洋服《ようふく》・一服《いっぷく》

福　13画
音　フク
くん　―
部首　ネ（しめすへん）
福引《ふくび》き・幸福《こうふく》

物　8画
音　ブツ　モツ
くん　もの
部首　牛（うしへん）
動物《どうぶつ》・作物《さくもつ》・物語《ものがたり》

平　5画
音　ヘイ　ビョウ
くん　たいら　ひら
部首　干（かん　いちじゅう）
平安《へいあん》・平等《びょうどう》・平屋《ひらや》

返　7画
音　ヘン
くん　かえす　かえる
部首　辶（しんにょう　しんにゅう）
返事《へんじ》・返送《へんそう》・仕返《しかえ》し

勉　10画
音　ベン
くん　―
部首　力（ちから）
勉強《べんきょう》・勉学《べんがく》・きん勉《べん》

放　8画
音　ホウ
くん　はなす　はなつ　はなれる　ほうる
部首　攵（のぶん　ぼくづくり）
放送《ほうそう》・開放《かいほう》・見放《みはな》す

味　8画
音　ミ
くん　あじ　あじわう
部首　口（くちへん）
味方《みかた》・意味《いみ》・味見《あじみ》

命　8画
音　メイ（ミョウ）
くん　いのち
部首　口（くち）
命中《めいちゅう》・生命《せいめい》・命取《いのちと》り

面　9画
音　メン
くん　（おも）（おもて）（つら）
部首　面（めん）
面会《めんかい》・地面《じめん》・表面《ひょうめん》

問　11画
音　モン
くん　とう　とい　とん
部首　口（くち）
問題《もんだい》・学問《がくもん》・問屋《とんや》

役
7画
音 ヤク (エキ)
くん —
部首 彳 (ぎょうにんべん)
役人《やくにん》・役目《やくめ》・主役《しゅやく》

薬
16画
音 ヤク
くん くすり
部首 艹 (くさかんむり)
薬品《やくひん》・火薬《かやく》・薬屋《くすりや》

由
5画
音 ユ ユウ (ユイ)
くん (よし)
部首 田 (た)
由来《ゆらい》・自由《じゆう》・理由《りゆう》

油
8画
音 ユ
くん あぶら
部首 氵 (さんずい)
油田《ゆでん》・石油《せきゆ》・油絵《あぶらえ》

有
6画
音 ユウ (ウ)
くん ある
部首 月 (つき)
有名《ゆうめい》・固有《こゆう》・有《あ》り金《がね》

遊
12画
音 ユウ (ユ)
くん あそぶ
部首 辶 (しんにょう しんにゅう)
遊星《ゆうせい》・遊泳《ゆうえい》・遊《あそ》び場《ば》

予
4画
音 ヨ
くん —
部首 亅 (はねぼう)
予感《よかん》・予習《よしゅう》・予定《よてい》

羊
6画
音 ヨウ
くん ひつじ
部首 羊 (ひつじ)
羊毛《ようもう》・羊《ひつじ》かい・子羊《こひつじ》

洋
9画
音 ヨウ
くん —
部首 氵 (さんずい)
洋式《ようしき》・洋食《ようしょく》・太平洋《たいへいよう》

葉
12画
音 ヨウ
くん は
部首 艹 (くさかんむり)
落葉《らくよう》・葉書《はがき》・言葉《ことば》

陽
12画
音 ヨウ
くん —
部首 阝 (こざとへん)
陽気《ようき》・陽光《ようこう》・太陽《たいよう》

様
14画
音 ヨウ
くん さま
部首 木 (きへん)
様式《ようしき》・同様《どうよう》・王様《おうさま》

落
12画
音 ラク
くん おちる おとす
部首 艹 (くさかんむり)
落下《らっか》・落石《らくせき》・落《お》ち葉《ば》

流
10画
音 リュウ (ル)
くん ながれる ながす
部首 氵 (さんずい)
流行《りゅうこう》・急流《きゅうりゅう》・流《なが》れ星《ぼし》

旅
10画
音 リョ
くん たび
部首 方 (ほうへん かたへん)
旅行《りょこう》・旅人《たびびと》・旅立《たびだ》ち

両 6画
音 リョウ
くん —
部首 一（いち）
両手《りょうて》・両親《りょうしん》・車両《しゃりょう》

緑 14画
音 リョク（ロク）
くん みどり
部首 糸（いとへん）
緑地《りょくち》・緑茶《りょくちゃ》・黄緑《きみどり》

礼 5画
音 レイ（ライ）
くん —
部首 ネ（しめすへん）
礼服《れいふく》・朝礼《ちょうれい》・目礼《もくれい》

列 6画
音 レツ
くん —
部首 刂（りっとう）
列車《れっしゃ》・列島《れっとう》・行列《ぎょうれつ》

練 14画
音 レン
くん ねる
部首 糸（いとへん）
練習《れんしゅう》・計画《けいかく》を練《ね》る

路 13画
音 ロ
くん じ
部首 𧾷（あしへん）
路上《ろじょう》・道路《どうろ》・旅路《たびじ》

和 8画
音 ワ（オ）
くん （やわらぐ）（なごやか）
部首 口（くち）
和風《わふう》・平和《へいわ》・和歌《わか》

小学校二年生までに習う漢字（二四〇字）

小学校二年生までに習う漢字は8級、7級の漢字検《けん》定に使用されます。どのような漢字があるか、おさらいしておきましょう。

一引右羽雨雲円園遠王
音下火花何科夏家歌画
回会海絵貝外角学楽活
間丸岩顔気汽記帰九弓
休牛魚京強教玉近金空
兄形計月犬見元言原戸

古五午後語口工公広交
光考行校高黄合谷国黒
今左才細作三山算子止
四市矢糸姉思紙字耳寺
自時七室車社弱手首秋
週十出春書女小少上場
色食心森新親人図水数
正生西声青星晴夕石赤
切雪千川先船線前組早
走草足村多太体大台男
地池知竹茶中虫昼町長
鳥朝直通弟天店点田電
土刀冬当東答頭同道読
内南二肉日入年馬売買
白麦八半番百父風文分
聞米歩母方北木本毎妹
万名明鳴毛目門夜野友
用曜来里理立力林六話

7級配当漢字表

7級の漢字検定《けんてい》に出る重要な漢字です。これは小学四年生で習う漢字で、二〇二字あります。しっかりと覚えましょう。7級以上の漢字には色がついています。

◀画数
◀漢字
◀読み
カタカナは音、ひらがなは訓で細字は送りがな。( )は4級以上の読みで7級には出題されない。
◀部首
◀部首名
◀筆順
◀用例

行	画数	漢字	読み	部首	部首名	用例
あ	13	愛	アイ	心	こころ	愛好《あいこう》・愛情《あいじょう》・親愛《しんあい》・愛唱歌《あいしょうか》
	10	案	アン	木	き	案内《あんない》・案外《あんがい》・名案《めいあん》・文案《ぶんあん》
い	5	以	イ	人	ひと	以上《いじょう》・以下《いか》・以内《いない》・以外《いがい》
	6	衣	イ (ころも)	衣	ころも	衣類《いるい》・衣服《いふく》・衣料《いりょう》・白衣《はくい》
	7	位	イ くらい	亻	にんべん	位置《いち》・順位《じゅんい》・地位《ちい》・気位《きぐらい》
	9	茨	いばら	艹	くさかんむり	茨城県《いばらきけん》・茨《いばら》の道《みち》
	6	印	イン しるし	卩	わりふ ふしづくり	印刷《いんさつ》・消印《けしいん》・目印《めじるし》・矢印《やじるし》
え	8	英	エイ	艹	くさかんむり	英語《えいご》・英国《えいこく》・英会話《えいかいわ》・育英《いくえい》
	9	栄	エイ さかえる (はえ) (はえる)	木	き	栄光《えいこう》・栄養《えいよう》・光栄《こうえい》・栄《さか》えた町《まち》
	12	媛	(エン)	女	おんなへん	愛媛県《えひめけん》
	13	塩	エン しお	土	つちへん	塩分《えんぶん》・食塩《しょくえん》・塩水《しおみず》・塩気《しおけ》
お	8	岡	おか	山	やま	岡山県《おかやまけん》・静岡県《しずおかけん》・福岡県《ふくおかけん》
	15	億	オク	亻	にんべん	億万長者《おくまんちょうじゃ》・一億《いちおく》・数億《すうおく》
か	5	加	カ くわえる くわわる	力	ちから	加入《かにゅう》・参加《さんか》・力《ちから》を加《くわ》える
	8	果	カ はたす はてる はて	木	き	果実《かじつ》・結果《けっか》・成果《せいか》・地《ち》の果《は》て
	11	貨	カ	貝	こがい	貨物《かもつ》・貨車《かしゃ》・金貨《きんか》・通貨《つうか》
	15	課	カ	言	ごんべん	課目《かもく》・課題《かだい》・課長《かちょう》・日課《にっか》

画数	漢字	読み	部首	部首名	用例
8	芽	ガ　め	艹	くさかんむり	発芽《はつが》・新芽《しんめ》・芽生《めば》え
12	賀	ガ	貝	かい　こがい	年賀《ねんが》・祝賀《しゅくが》・年賀状《ねんがじょう》・佐賀県《さがけん》・滋賀県《しがけん》
7	改	カイ　あらためる　あらたまる	攵	のぶん　ぼくづくり	改正《かいせい》・改良《かいりょう》・年《とし》が改《あらた》まる
11	械	カイ	木	きへん	機械《きかい》・器械《きかい》・工作機械《こうさくきかい》
12	街	ガイ　(カイ)　まち	行	ぎょうがまえ　ゆきがまえ	街頭《がいとう》・街灯《がいとう》・市街《しがい》・街角《まちかど》
10	害	ガイ	宀	うかんむり	害虫《がいちゅう》・害鳥《がいちょう》・公害《こうがい》・水害《すいがい》
6	各	カク　(おのおの)	口	くち	各自《かくじ》・各人《かくじん》・各地《かくち》・各駅《かくえき》
12	覚	カク　おぼえる　さます　さめる	見	みる	感覚《かんかく》・味覚《みかく》・見覚《みおぼ》え・目覚《めざ》め
15	潟	かた	氵	さんずい	新潟県《にいがたけん》
7	完	カン	宀	うかんむり	完成《かんせい》・完全《かんぜん》・完敗《かんぱい》・未完《みかん》
8	官	カン	宀	うかんむり	官立《かんりつ》・上官《じょうかん》・教官《きょうかん》・代官《だいかん》
14	管	カン　くだ	⺮	たけかんむり	管理《かんり》・管楽器《かんがっき》・血管《けっかん》・気管《きかん》
14	関	カン　かかわる　せき	門	もんがまえ	関係《かんけい》・関所《せきしょ》・命《いのち》に関《かか》わる
18	観	カン	見	みる	観光《かんこう》・観客《かんきゃく》・美観《びかん》・客観《きゃっかん》
19	願	ガン　ねがう	頁	おおがい	願望《がんぼう》・願書《がんしょ》・念願《ねんがん》・願《ねが》い事《ごと》

き

画数	漢字	読み	部首	部首名	用例
7	岐	(キ)	山	やまへん	岐阜県《ぎふけん》
7	希	キ	巾	はば	希望《きぼう》・希求《ききゅう》・希少《きしょう》・古希《こき》
8	季	キ	子	こ	季節《きせつ》・四季《しき》・雨季《うき》・年季《ねんき》
14	旗	キ　はた	方	ほうへん　かたへん	旗手《きしゅ》・国旗《こっき》・校旗《こうき》・旗日《はたび》
15	器	キ　(うつわ)	口	くち	器具《きぐ》・食器《しょっき》・容器《ようき》・武器《ぶき》

16	機	キ (はた)	木	きへん	機械《きかい》・機会《きかい》・機体《きたい》・動機《どうき》
20	議	ギ	言	ごんべん	議長《ぎちょう》・議題《ぎだい》・議員《ぎいん》・会議《かいぎ》
7	求	キュウ もとめる	水	みず	求人《きゅうじん》・求愛《きゅうあい》・追求《ついきゅう》・人《ひと》を求《もと》める
8	泣	(キュウ) なく	氵	さんずい	泣《な》き虫《むし》・泣《な》き声《ごえ》・泣《な》き言《ごと》
12	給	キュウ	糸	いとへん	給食《きゅうしょく》・給水《きゅうすい》・給料《きゅうりょう》・時給《じきゅう》
10	挙	キョ あげる あがる	手	て	挙式《きょしき》・挙行《きょこう》・選挙《せんきょ》・式《しき》を挙《あ》げる
14	漁	ギョ リョウ	氵	さんずい	漁船《ぎょせん》・漁業《ぎょぎょう》・大漁《たいりょう》・不漁《ふりょう》
6	共	キョウ とも	八	は	共通《きょうつう》・共同《きょうどう》・共学《きょうがく》・共食《ともぐ》い
8	協	キョウ	十	じゅう	協力《きょうりょく》・協和《きょうわ》・協会《きょうかい》・協議《きょうぎ》
19	鏡	キョウ かがみ	金	かねへん	鏡台《きょうだい》・鏡面《きょうめん》・望遠鏡《ぼうえんきょう》・手鏡《てかがみ》
20	競	キョウ ケイ (きそう) (せる)	立	たつ	競争《きょうそう》・競走《きょうそう》・競馬《けいば》・競輪《けいりん》
12	極	キョク (ゴク) (きわめる) (きわまる) (きわみ)	木	きへん	極度《きょくど》・極力《きょくりょく》・積極《せっきょく》・南極《なんきょく》
く 14	熊	くま	灬	れんが れっか	熊手《くまで》・熊本県《くまもとけん》
10	訓	クン	言	ごんべん	訓練《くんれん》・訓話《くんわ》・特訓《とっくん》・音訓《おんくん》
9	軍	グン	車	くるま	軍人《ぐんじん》・海軍《かいぐん》・陸軍《りくぐん》・空軍《くうぐん》
10	郡	グン	阝	おおざと	郡部《ぐんぶ》・郡内《ぐんない》・郡下《ぐんか》
13	群	グン むれる むれ むら	羊	ひつじ	大群《たいぐん》・魚《さかな》の群《む》れ・群馬県《ぐんまけん》
け 8	径	ケイ	彳	ぎょうにんべん	径路《けいろ》・直径《ちょっけい》・半径《はんけい》・口径《こうけい》
12	景	ケイ	日	ひ	景気《けいき》・景観《けいかん》・光景《こうけい》・夜景《やけい》
7	芸	ゲイ	艹	くさかんむり	芸人《げいにん》・曲芸《きょくげい》・学芸《がくげい》・園芸《えんげい》

画数	漢字	読み	部首	部首名	用例
4	欠	ケツ かける かく	欠	あくび かける	欠席《けっせき》・欠点《けってん》・病欠《びょうけつ》・欠《か》けら
12	結	ケツ むすぶ (ゆう) (ゆわえる)	糸	いとへん	結合《けつごう》・結局《けっきょく》・直結《ちょっけつ》・話《はなし》を結《むす》ぶ
9	建	ケン (コン) たてる たつ	廴	えんにょう	建国《けんこく》・建材《けんざい》・建具《たてぐ》・建物《たてもの》
11	健	ケン (すこやか)	亻	にんべん	健康《けんこう》・健全《けんぜん》・健勝《けんしょう》・強健《きょうけん》
18	験	ケン (ゲン)	馬	うまへん	験算《けんざん》・試験《しけん》・実験《じっけん》・受験《じゅけん》
8 こ	固	コ かためる かたまる かたい	口	くにがまえ	固体《こたい》・固定《こてい》・強固《きょうこ》・土《つち》を固《かた》める
5	功	コウ (ク)	力	ちから	功労《こうろう》・功名《こうみょう》・成功《せいこう》・年功《ねんこう》
6	好	コウ このむ すく	女	おんなへん	好意《こうい》・好物《こうぶつ》・好調《こうちょう》・好《す》き好《この》む
9	香	(コウ) (キョウ) か かおり かおる	香	か かおり	良《よ》い香《かお》り・香川県《かがわけん》
10	候	コウ (そうろう)	亻	にんべん	天候《てんこう》・気候《きこう》・時候《じこう》・兆候《ちょうこう》

画数	漢字	読み	部首	部首名	用例
11	康	コウ	广	まだれ	健康《けんこう》・不健康《ふけんこう》・小康《しょうこう》
7 さ	佐	サ	亻	にんべん	大佐《たいさ》・佐賀県《さがけん》
10	差	サ さす	工	え たくみ	差別《さべつ》・大差《たいさ》・小差《しょうさ》・無差別《むさべつ》
11	菜	サイ な	艹	くさかんむり	菜食《さいしょく》・野菜《やさい》・白菜《はくさい》・青菜《あおな》
12	最	サイ もっとも	曰	ひらび いわく	最高《さいこう》・最初《さいしょ》・最後《さいご》・最《もっと》も良《よ》い
11	埼	さい	土	つちへん	埼玉県《さいたまけん》
7	材	ザイ	木	きへん	材木《ざいもく》・材料《ざいりょう》・画材《がざい》・機材《きざい》
11	崎	さき	山	やまへん	長崎県《ながさきけん》・宮崎県《みやざきけん》
9	昨	サク	日	ひへん	昨日《さくじつ(きのう)》・昨年《さくねん》・昨夜《さくや》・一昨日《いっさくじつ》
5	札	サツ ふだ	木	きへん	札束《さつたば》・表札《ひょうさつ》・新札《しんさつ》・名札《なふだ》

刷 8
サツ / する
刂 りっとう
刷新《さっしん》・印刷《いんさつ》・色刷《いろず》り

察 14
サツ
宀 うかんむり
察知《さっち》・観察《かんさつ》・考察《こうさつ》・明察《めいさつ》

参 8
サン / まいる
厶 む
参加《さんか》・参考《さんこう》・持参《じさん》・はか参《まい》り

産 11
サン / うむ / うまれる / (うぶ)
生 うまれる
産業《さんぎょう》・生産《せいさん》・安産《あんざん》・産《う》み月《づき》

散 12
サン / ちる / ちらす / ちらかす / ちらかる
攵 のぶん / ぼくづくり
散歩《さんぽ》・散文《さんぶん》・分散《ぶんさん》・散《ち》り散《ぢ》り

残 10
ザン / のこる / のこす
歹 かばねへん / いちたへん / がつへん
残念《ざんねん》・残業《ざんぎょう》・無残《むざん》・残《のこ》り物《もの》

氏 4
シ / (うじ)
氏 うじ
氏名《しめい》・氏族《しぞく》

司 5
シ
口 くち
司会《しかい》・司法《しほう》・上司《じょうし》・行司《ぎょうじ》

試 13
シ / こころみる / (ためす)
言 ごんべん
試験《しけん》・試合《しあい》・入試《にゅうし》・試《こころ》みる

児 7
ジ / (ニ)
儿 ひとあし / にんにょう
児童《じどう》・育児《いくじ》・園児《えんじ》・男児《だんじ》

治 8
ジ・チ / おさめる / おさまる / なおる / なおす
氵 さんずい
不治《ふじ(ち)》・治安《ちあん》・国《くに》を治《おさ》める

滋 12
(ジ)
氵 さんずい
滋賀県《しがけん》

辞 13
ジ / (やめる)
辛 からい
辞書《じしょ》・辞典《じてん》・辞表《じひょう》・式辞《しきじ》

鹿 11
しか / か
鹿 しか
鹿《しか》・鹿《か》の子《こ》・鹿児島県《かごしまけん》

失 5
シツ / うしなう
大 だい
失礼《しつれい》・失望《しつぼう》・消失《しょうしつ》・気《き》を失《うしな》う

借 10
シャク / かりる
亻 にんべん
借用《しゃくよう》・借金《しゃっきん》・借《か》り物《もの》・前借《まえが》り

種 14
シュ / たね
禾 のぎへん
種類《しゅるい》・人種《じんしゅ》・種子《しゅし》・種本《たねぼん》

周 8
シュウ / まわり
口 くち
周囲《しゅうい》・周辺《しゅうへん》・周知《しゅうち》・家《いえ》の周《まわ》り

祝 9
シュク / (シュウ) / いわう
ネ しめすへん
祝日《しゅくじつ》・祝福《しゅくふく》・祝《いわ》い事《ごと》・前祝《まえいわ》い

順 12
ジュン
頁 おおがい
順位《じゅんい》・順番《じゅんばん》・順調《じゅんちょう》・道順《みちじゅん》

初	7	ショ・はじめ はじめて はつ・(うい) (そめる)	刀 かたな	初級《しょきゅう》・初歩《しょほ》・初耳《はつみみ》・初雪《はつゆき》
松	8	ショウ まつ	木 きへん	松竹梅《しょうちくばい》・松葉《まつば》・松原《まつばら》・松風《まつかぜ》
笑	10	(ショウ) わらう (えむ)	竹 たけかんむり	笑《わら》い声《ごえ》・笑《わら》い話《ばなし》・苦笑《にがわら》い
唱	11	ショウ となえる	口 くちへん	唱歌《しょうか》・合唱《がっしょう》・愛唱《あいしょう》・暗唱《あんしょう》
焼	12	(ショウ) やく やける	火 ひへん	焼《や》き肉《にく》・夕焼《や》け・丸焼《まるや》け
照	13	ショウ てる てらす てれる	灬 れんが れっか	照明《しょうめい》・日照《にっしょう》・参照《さんしょう》・日照《ひで》り
城	9	ジョウ しろ	土 つちへん	城門《じょうもん》・城下町《じょうかまち》・茨城県《いばらきけん》・宮城県《みやぎけん》
縄	15	(ジョウ) なわ	糸 いとへん	沖縄県《おきなわけん》
臣	7	シン ジン	臣 しん	臣下《しんか》・家臣《かしん》・重臣《じゅうしん》・大臣《だいじん》
信	9	シン	亻 にんべん	信用《しんよう》・自信《じしん》・信号《しんごう》・通信《つうしん》

せ

井	4	(セイ) (ショウ) い	二 に	井戸《いど》・福井県《ふくいけん》
成	6	セイ (ジョウ) なる なす	戈 ほこづくり ほこがまえ	成長《せいちょう》・成功《せいこう》・完成《かんせい》・成《な》り行《ゆ》き
省	9	セイ ショウ (かえりみる) はぶく	目 め	反省《はんせい》・省令《しょうれい》・手間《てま》を省《はぶ》く
清	11	セイ (ショウ) きよい きよまる きよめる	氵 さんずい	清書《せいしょ》・清算《せいさん》・血清《けっせい》・清《きよ》い流《なが》れ
静	14	セイ (ジョウ) しず・しずか しずまる しずめる	青 あお	静止《せいし》・静養《せいよう》・安静《あんせい》・静《しず》けさ
席	10	セキ	巾 はば	席順《せきじゅん》・客席《きゃくせき》・出席《しゅっせき》・欠席《けっせき》
積	16	セキ つむ つもる	禾 のぎへん	積雪《せきせつ》・面積《めんせき》・体積《たいせき》・積《つ》み木《き》
折	7	セツ おる おり おれる	扌 てへん	折半《せっぱん》・曲折《きょくせつ》・右折《うせつ》・時折《ときおり》
節	13	セツ (セチ) ふし	竹 たけかんむり	節分《せつぶん》・節約《せつやく》・季節《きせつ》・節目《ふしめ》
説	14	セツ (ゼイ) とく	言 ごんべん	説明《せつめい》・説教《せっきょう》・伝説《でんせつ》・道《みち》を説《と》く

9	浅	(セン) あさい	氵	さんずい	浅緑《あさみどり》・浅黒《あさぐろ》い・浅《あさ》はか・遠浅《とおあさ》
13	戦	セン (いくさ) たたかう	戈	ほこづくり ほこがまえ	戦争《せんそう》・開戦《かいせん》・観戦《かんせん》・悪《あく》と戦《たたか》う
15	選	セン えらぶ	辶	しんにょう しんにゅう	選手《せんしゅ》・選挙《せんきょ》・入選《にゅうせん》・品《しな》を選《えら》ぶ
12	然	ゼン ネン	灬	れんが れっか	自然《しぜん》・当然《とうぜん》・全然《ぜんぜん》・天然《てんねん》
そ 6	争	ソウ あらそう	亅	はねぼう	争議《そうぎ》・競争《きょうそう》・戦争《せんそう》・口争《くちあらそ》い
10	倉	ソウ くら	人	ひとやね	倉庫《そうこ》・船倉《せんそう(ふなぐら)》・倉荷《くらに》
11	巣	(ソウ) す	⺍	つかんむり	巣箱《すばこ》・巣作《すづく》り・巣立《すだ》ち・古巣《ふるす》
7	束	ソク たば	木	き	結束《けっそく》・約束《やくそく》・花束《はなたば》・札束《さつたば》
11	側	ソク がわ	亻	にんべん	側面《そくめん》・側線《そくせん》・両側《りょうがわ》・北側《きたがわ》
13	続	ゾク つづく つづける	糸	いとへん	続出《ぞくしゅつ》・続行《ぞっこう》・持続《じぞく》・手続《てつづ》き

8	卒	ソツ	十	じゅう	卒業《そつぎょう》・高卒《こうそつ》・大卒《だいそつ》・新卒《しんそつ》
10	孫	ソン まご	子	こへん	子孫《しそん》・孫子《まごこ》・内孫《うちまご(ないそん)》・外孫《そとまご(がいそん)》
た 10	帯	タイ おびる おび	巾	はば	一帯《いったい》・熱帯《ねったい》・包帯《ほうたい》・黒帯《くろおび》
12	隊	タイ	阝	こざとへん	隊長《たいちょう》・軍隊《ぐんたい》・部隊《ぶたい》・楽隊《がくたい》
12	達	タツ	辶	しんにょう しんにゅう	達人《たつじん》・上達《じょうたつ》・発達《はったつ》・配達《はいたつ》
9	単	タン	⺍	つかんむり	単語《たんご》・単位《たんい》・単調《たんちょう》・単身《たんしん》
ち 13	置	チ おく	罒	あみがしら あみめ よこめ	位置《いち》・配置《はいち》・置物《おきもの》・物置《ものおき》
6	仲	(チュウ) なか	亻	にんべん	仲間《なかま》・仲良《なかよ》し・仲立《なかだち》・不仲《ふなか》
7	沖	(チュウ) おき	氵	さんずい	沖合《おきあ》い・沖縄県《おきなわけん》
6	兆	チョウ (きざし) (きざす)	儿	ひとあし にんにょう	兆候《ちょうこう》・前兆《ぜんちょう》・一兆円《いっちょうえん》

画数	漢字	読み	部首	部首名	用例
7	て 低	テイ ひくい ひくめる ひくまる	亻	にんべん	低温《ていおん》・低空《ていくう》・低調《ていちょう》・低《ひく》い声《こえ》
8	底	テイ そこ	广	まだれ	底辺《ていへん》・海底《かいてい》・根底《こんてい》・川底《かわぞこ》
8	的	テキ まと	白	しろ	的中《てきちゅう》・目的《もくてき》・公的《こうてき》・的外《まとはず》れ
8	典	テン	八	は	典型《てんけい》・辞典《じてん》・事典《じてん》・古典《こてん》
6	伝	デン つたわる つたえる つたう	亻	にんべん	伝言《でんごん》・伝達《でんたつ》・自伝《じでん》・言《い》い伝《つた》え
10	と 徒	ト	彳	ぎょうにんべん	徒歩《とほ》・徒競走《ときょうそう》・生徒《せいと》・徒労《とろう》
7	努	ド つとめる	力	ちから	努力《どりょく》・努力家《どりょくか》・学習《がくしゅう》に努《つと》める
6	灯	トウ (ひ)	火	ひへん	灯台《とうだい》・灯油《とうゆ》・電灯《でんとう》・街灯《がいとう》
13	働	ドウ はたらく	亻	にんべん	労働《ろうどう》・実働《じつどう》・働《はたら》き者《もの》
10	特	トク	牛	うしへん	特別《とくべつ》・特大《とくだい》・特選《とくせん》・特級《とっきゅう》
14	徳	トク	彳	ぎょうにんべん	道徳《どうとく》・人徳《じんとく》・徳島県《とくしまけん》
9	栃	とち	木	きへん	栃《とち》の実《み》・栃木県《とちぎけん》
8	な 奈	ナ	大	だい	神奈川県《かながわけん》・奈良県《ならけん》
11	梨	なし	木	き	洋梨《ようなし》・山梨県《やまなしけん》
15	ね 熱	ネツ あつい	灬	れんが れっか	熱意《ねつい》・熱心《ねっしん》・加熱《かねつ》・熱《あつ》いお茶《ちゃ》
8	念	ネン	心	こころ	念願《ねんがん》・記念《きねん》・信念《しんねん》・残念《ざんねん》
11	は 敗	ハイ やぶれる	攵	のぶん ぼくづくり	敗戦《はいせん》・敗北《はいぼく》・失敗《しっぱい》・敗《やぶ》れ去《さ》る
10	梅	バイ うめ	木	きへん	梅雨《ばいう》・入梅《にゅうばい》・梅林《ばいりん》・梅酒《うめしゅ》
12	博	ハク (バク)	十	じゅう	博物館《はくぶつかん》・博愛《はくあい》・博学《はくがく》・医博《いはく》
7	阪	(ハン)	阝	こざとへん	大阪府《おおさかふ》

画数	漢字	読み	部首	用例
12	飯	ハン めし	飠 しょくへん	飯台《はんだい》・赤飯《せきはん》・飯時《めしどき》・焼《や》き飯《めし》
9 ひ	飛	ヒ とぶ とばす	飛 とぶ	飛行機《ひこうき》・高飛《たかと》び・飛《と》び火《ひ》
5	必	ヒツ かならず	心 こころ	必要《ひつよう》・必読《ひつどく》・必死《ひっし》・必《かなら》ず勝《か》つ
11	票	ヒョウ	示 しめす	票数《ひょうすう》・投票《とうひょう》・開票《かいひょう》・伝票《でんぴょう》
15	標	ヒョウ	木 きへん	標本《ひょうほん》・標語《ひょうご》・標高《ひょうこう》・目標《もくひょう》
4 ふ	不	フ ブ	一 いち	不安《ふあん》・不幸《ふこう》・不満《ふまん》・不様《ぶざま》
4	夫	フ (フウ) おっと	大 だい	夫君《ふくん》・水夫《すいふ》・農夫《のうふ》・夫《おっと》の母《はは》
5	付	フ つける つく	亻 にんべん	付近《ふきん》・付録《ふろく》・送付《そうふ》・付《つ》け根《ね》
8	府	フ	广 まだれ	府県《ふけん》・府立《ふりつ》・京都府《きょうとふ》・首府《しゅふ》
8	阜	フ	阜 おか	岐阜県《ぎふけん》
12	富	フ (フウ) とむ とみ	宀 うかんむり	富山県《とやまけん》
11	副	フク	刂 りっとう	副賞《ふくしょう》・副食《ふくしょく》・副業《ふくぎょう》・副作用《ふくさよう》
7 へ	兵	ヘイ (ヒョウ)	八 は	兵隊《へいたい》・兵士《へいし》・兵器《へいき》・出兵《しゅっぺい》
7	別	ベツ わかれる	刂 りっとう	別室《べっしつ》・区別《くべつ》・特別《とくべつ》・別《わか》れ道《みち》
5	辺	ヘン あたり べ	辶 しんにょう しんにゅう	周辺《しゅうへん》・近辺《きんぺん》・この辺《あた》り・海辺《うみべ》
9	変	ヘン かわる かえる	夂 すいにょう ふゆがしら	変化《へんか》・大変《たいへん》・変身《へんしん》・変《か》わり者《もの》
9	便	ベン ビン たより	亻 にんべん	便利《べんり》・不便《ふべん》・船便《ふなびん》・花《はな》の便《たよ》り
5 ほ	包	ホウ つつむ	勹 つつみがまえ	包帯《ほうたい》・包囲《ほうい》・内包《ないほう》・小包《こづつみ》
8	法	ホウ (ハッ) (ホッ)	氵 さんずい	法学《ほうがく》・法事《ほうじ》・法案《ほうあん》・方法《ほうほう》
11	望	ボウ (モウ) のぞむ	月 つき	望遠《ぼうえん》・希望《きぼう》・失望《しつぼう》・海《うみ》を望《のぞ》む

見出し	画数	漢字	読み	部首	部首名	用例
	8	牧	ボク （まき）	牜	うしへん	牧場《ぼくじょう》・牧草《ぼくそう》・牧牛《ぼくぎゅう》・放牧《ほうぼく》
ま	5	末	マツ （バツ） すえ	木	き	末日《まつじつ》・週末《しゅうまつ》・始末《しまつ》・末《すえ》っ子《こ》
	12	満	マン みちる みたす	氵	さんずい	満員《まんいん》・満点《まんてん》・満月《まんげつ》・水《みず》を満《み》たす
み	5	未	ミ	木	き	未来《みらい》・未定《みてい》・未満《みまん》・未知《みち》
	5	民	ミン （たみ）	氏	うじ	民族《みんぞく》・民宿《みんしゅく》・国民《こくみん》・住民《じゅうみん》
む	12	無	ム ブ ない	灬	れんが れっか	無口《むくち》・無料《むりょう》・無事《ぶじ》・仕方《しかた》無《な》い
や	9	約	ヤク	糸	いとへん	約束《やくそく》・予約《よやく》・節約《せつやく》・公約《こうやく》
ゆ	9	勇	ユウ いさむ	力	ちから	勇気《ゆうき》・勇士《ゆうし》・勇者《ゆうしゃ》・勇《いさ》み足《あし》
よ	9	要	ヨウ かなめ （いる）	襾	おおいかんむり	要求《ようきゅう》・重要《じゅうよう》・守《まも》りの要《かなめ》
	15	養	ヨウ やしなう	食	しょく	養分《ようぶん》・養育《よういく》・栄養《えいよう》・子《こ》を養《やしな》う

見出し	画数	漢字	読み	部首	部首名	用例
	10	浴	ヨク あびる あびせる	氵	さんずい	浴室《よくしつ》・浴場《よくじょう》・入浴《にゅうよく》・水浴《みずあ》び
り	7	利	リ （きく）	刂	りっとう	利用《りよう》・利点《りてん》・便利《べんり》・有利《ゆうり》
	11	陸	リク	阝	こざとへん	陸上《りくじょう》・陸地《りくち》・陸橋《りっきょう》・着陸《ちゃくりく》
	7	良	リョウ よい	艮	ねづくり こんづくり	良心《りょうしん》・良好《りょうこう》・最良《さいりょう》・良《よ》い子《こ》
	10	料	リョウ	斗	とます	料理《りょうり》・料金《りょうきん》・衣料《いりょう》・食料《しょくりょう》
	12	量	リョウ はかる	里	さと	量産《りょうさん》・重量《じゅうりょう》・計量《けいりょう》・量《はか》り売《う》り
	15	輪	リン わ	車	くるまへん	五輪《ごりん》・車輪《しゃりん》・指輪《ゆびわ》・首輪《くびわ》
る	18	類	ルイ たぐい	頁	おおがい	種類《しゅるい》・親類《しんるい》・小動物《しょうどうぶつ》の類《たぐ》い
れ	5	令	レイ	人	ひとやね	命令《めいれい》・号令《ごうれい》・指令《しれい》・発令《はつれい》
	7	冷	レイ・つめたい ひえる・ひや ひやす・ひやかす さめる・さます	冫	にすい	冷水《れいすい》・冷害《れいがい》・寒冷《かんれい》・冷《ひ》や水《みず》

ろ

画数	漢字	読み	部首	言葉
8	例	レイ / たとえる	亻 にんべん	例年《れいねん》・例会《れいかい》・実例《じつれい》・例《たと》えば
10	連	レン / つらなる / つらねる / つれる	辶 しんにょう しんにゅう	連続《れんぞく》・連休《れんきゅう》・連日《れんじつ》・山《やま》が連《つら》なる
6	老	ロウ / おいる / (ふける)	耂 おいかんむり おいがしら	老人《ろうじん》・老後《ろうご》・長老《ちょうろう》・老《お》い先《さき》
7	労	ロウ	力 ちから	労働《ろうどう》・労力《ろうりょく》・苦労《くろう》・功労《こうろう》
16	録	ロク	金 かねへん	録音《ろくおん》・録画《ろくが》・記録《きろく》・登録《とうろく》

特別《とくべつ》な読み方

小学校で習う、特別な読み方をする、二字以上のじゅく語や当て字です。目を通しておきましょう。

明日 ▼ あす
大人 ▼ おとな
母さん ▼ かあさん
川原 ▼ かわら
昨日 ▼ きのう
今日 ▼ きょう
果物 ▼ くだもの
今朝 ▼ けさ

景色 ▼ けしき
今年 ▼ ことし
清水 ▼ しみず
上手 ▼ じょうず
七夕 ▼ たなばた
一日 ▼ ついたち
手伝う ▼ てつだう
父さん ▼ とうさん
時計 ▼ とけい
友達 ▼ ともだち
兄さん ▼ にいさん
姉さん ▼ ねえさん

二十日 ▼ はつか
一人 ▼ ひとり
二人 ▼ ふたり
二日 ▼ ふつか
下手 ▼ へた
部屋 ▼ へや
真面目 ▼ まじめ
真っ赤 ▼ まっか
真っ青 ▼ まっさお
八百屋 ▼ やおや

まちがえやすい画数の形

黒色の漢字は8級の重要《よう》漢字から、赤色の漢字は7級の配当漢字から選《えら》びました。

1画で書く

㇖
飲祭次茨欠

㇇
駅局向助島湯動物
陽印加潟験初的栃
満約労

㇆
習商消問関希司

㇆
酒面由油岡固

㇈
投熱飛

く
安委案好努媛梅要

㇇
客取受度投坂板皮

㇟
役愛残飯変
化起死指配発勉礼
貨鏡競札児説兆

㇙
飲階館根衣氏鹿飯
養

㇗
医区県歯葉置

㇜
育去始芸法

㇉
号写第極

㇚
泳

2画で書く

𠂉（ノ → 𠂉）
第笛等箱管笑
節

㇙（ノ → ㇙）
氏底低

く（ノ → く）
泳様求康録

3画で書く

了（㇖ → 了）
遊予季好孫

（丨 → ㇙）
以

冖（丶 → 冖）
客究宮実写守
宿栄覚軍賞

辶
運進送速追
返遊選達辺
連

廴
庭建健

阝
院階都部陽
郡隊陸

幺（く → 幺 → 幺）
級係終緑練
給結滋縄続
約

10	9	8	7	6	5	4	3	2	1	(一) 読み
20	19	18	17	16	15	14	13	12	11	
										(1×20)

10	9	8	7	6	5	4	3	2	1	(二) 読み
										(1×10)

10	9	8	7	6	5	4	3	2	1	(三) 漢字えらび
										(2×10)

10	9	8	7	6	5	4	3	2	1	(四) 画数
総画数	総画数	総画数	総画数	総画数	画目	画目	画目	画目	画目	(1×10)

10	9	8	7	6	5	4	3	2	1	(五) 音読み・訓読み
										(2×10)

７級用です。８級の本試験は問題用紙と答案用紙が一体化していますので、
本書でも７級のみ、「コピーして使える答案用紙」をつけています。

第（　）回テスト答案用紙

／200点

(六) 対義《ぎ》語 (2×5)

5	4	3	2	1

(七) 漢字と送りがな (2×7)

7	6	5	4	3	2	1

(八) 同じ部首の漢字 (2×10)

10	9	8	7	6	5	4	3	2	1

(九) 同じ読みの漢字 (2×8)

8	7	6	5	4	3	2	1

(十) じゅく語作り (2×10)

10	9	8	7	6	5	4	3	2	1

(十一) 漢字 (2×20)

10	9	8	7	6	5	4	3	2	1
20	19	18	17	16	15	14	13	12	11

 ※ コピーしてお使いください。

本書記載の情報は制作時点のものです。受検をお考えの方は、必ずご自身で下記の公益財団法人 日本漢字能力検定協会の発表する最新情報をご確認ください。

公益財団法人 日本漢字能力検定協会
【ホームページ】 https://www.kanken.or.jp/
<本部> 京都市東山区祇園町南側 551 番地
TEL : (075)757－8600 FAX : (075)532－1110
ホームページにある「よくある質問」を読んで該当する質問がみつからなければメールフォームでお問い合わせください。電話でのお問い合わせ窓口は 0120-509-315（無料）です。

◆「漢検」「漢字検定」は公益財団法人 日本漢字能力検定協会の登録商標です。

本書に関する正誤等の最新情報は、下記のアドレスでご確認ください。
https://www.seibidoshuppan.co.jp/info/honshi-kanken78-2411

◉ 上記アドレスに掲載されていない箇所で、正誤についてお気づきの場合は、書名・質問事項・氏名・住所(またはFAX番号）を明記の上、**成美堂出版**まで**郵送**またはFAXでお問い合わせください。**お電話でのお問い合わせはお受けできません。**
◉ 本書の内容を超える質問等にはお答えできませんので、あらかじめご了承ください。また、受検指導などは行っておりません。
◉ ご質問の到着確認後10日前後で、回答を普通郵便またはFAXで発送いたします。
◉ ご質問の受付期限は、2025年10月末日到着分までといたします。ご了承ください。

よくあるお問い合わせ

Q **持っている辞書に掲載されている部首と、本書に掲載されている部首が違いますが、どちらが正解でしょうか？**

A 辞書によっては、部首としているものが異なることがあります。**漢検の採点基準では、「漢検要覧2～10級対応 改訂版」（日本漢字能力検定協会発行）で示しているものを正解としています**ので、本書もこの基準に従っています。そのためお持ちの辞書と部首が異なることがあります。

本試験型 漢字検定7･8級試験問題集 '25年版

2024年12月1日発行

編　著　成美堂出版編集部
発行者　深見公子
発行所　成美堂出版
〒162-8445 東京都新宿区新小川町1-7
電話(03)5206-8151 FAX(03)5206-8159
印　刷　株式会社東京印書館

ISBN978-4-415-23914-9
落丁･乱丁などの不良本はお取り替えします
定価はカバーに表示してあります

本試験型

漢字検定7・8級

試験問題集

別冊

答え
かいせつ

'25年版

成美堂出版

←…矢じるしの方向に引くと別冊の答えが外れます

(一) 漢字の読み

各1点 計30点

グレーの部分は答えのほそくです。

1 さむけ
2 えきまえ
3 いいん
4 いんしょく
5 ぐすり
6 とうこう
7 たいいく
8 よこ
9 ごや
10 ぜんいん
11 おくじょう
12 はこ(ぶ)
13 おも(い)
14 かい(だん)
15 ころ(んで)
16 くば(る)
17 ちゅうおう
18 あつ(めて)
19 うんどう
20 かわぎし
21 おんすい
22 およ(げる)
23 ゆだ(ねる)
24 けんぶつ
25 びょういん
26 そそ(ぎ)
27 すいぞくかん
28 いがい
29 ゆびさき
30 わる(い)

1「寒気《さむけ》」は、寒い感じがすること。また、病気によって、ふゆかいな寒さを感じること。

5「薬」は、訓読《くん》みで「くすり」ですが、「飲《の》み薬」や「ぬり薬」のような場合は「ぐすり」とにごります。

7「体育《たいいく》」を「たいく」とまちがえないように注意しましょう。

28「意外《いがい》」は、思いがけないこと。

(二) 書きじゅん

各1点 計10点

1 3
2 10
3 6
4 3
5 4
6 11
7 9
8 12
9 10
10 14

(三) はんたい語

各2点 計10点

グレーの部分は問題のじゅく語です。

1 長《なが》い ⇕ 短《みじか》い
2 かた方《ほう》 ⇕ 両方《りょうほう》
3 和食《わしょく》 ⇕ 洋食《ようしょく》
4 ねる ⇕ 起《お》きる
5 ふく習《しゅう》 ⇕ 予習《よしゅう》

(四) 同じ部首の漢字

各2点 計20点

グレーの部分は問題と答えのほそくです。

にんべん
1 住《じゅう》所《しょ》
2 代《だい》表者《ひょうしゃ》

さんずい
3 油《あぶら》紙《がみ》
4 多《た》数《すう》決《けつ》

きへん
5 大《だい》根《こん》
6 植《うえ》木《き》

たけかんむり
7 口《くち》笛《ぶえ》
8 玉《たま》手《て》箱《ばこ》

しんにょう
しんにゅう
9 返《へん》事《じ》
10 追《お》いこす

4「多数決《たすうけつ》」は、物事を多数の人の意見《い》で決めること。

(五) 同じ読みの漢字

各2点／計20点

グレーの部分は問題のじゅく語です。

1 (安《あん》)全《ぜん》
2 (暗《あん》)記《き》
3 (服《ふく》)用《よう》
4 (福《ふく》)引《び》き
5 (皮《ひ》)肉《にく》
6 (悲《ひ》)鳴《めい》
7 (秒《びょう》)しん
8 日《にっ》しゃ(病《びょう》)
9 (氷《ひょう》)点《てん》下《か》
10 (表《ひょう》)面《めん》

3「服用《ふくよう》」は、薬を飲むこと。
5「皮肉《ひにく》」は、あてこすり。

(六) おくりがな

各2点／計10点

1 速《はや》い
2 育《はぐく》む
3 実《みの》る
4 写《うつ》す
5 集《あつ》まる

(七) 漢字の読み

各1点／計10点

1 じょそう
2 たす(ける)
3 ぜんたい
4 まった(く)
5 せわ
6 よ
7 たにん
8 ほか
9 しゅうじ
10 なら(う)

1・2は「助」、3・4は「全」、5・6は「世」、7・8は「他」、9・10は「習」の字の音読み、訓《くん》読みの問題です。

(八) 漢字の書き

各2点／計40点

グレーの部分は問題文です。

1 近《ちか》くの 1県《けん》立公園《りつこうえん》には大《おお》きな 2湖《みずうみ》がある。
2 3去《きょ》年《ねん》の冬《ふゆ》は 4幸《さいわ》いにもあまり雪《ゆき》はふらなかった。
3 カーニバルの人《ひと》たちが、金《きん》や 5銀《ぎん》のお 6面《めん》をつけている。
4 わか 7葉《ば》の 8緑《みどり》色《いろ》がうつくしい。
5 電車《でんしゃ》が 9鉄《てっ》10橋《きょう》をわたっていった。
6 あらしがきて、船《ふね》は 11急《きゅう》に 12港《みなと》へひきかえした。
7 兄《あに》は大学《だいがく》で文学《ぶんがく》の 13研《けん》14究《きゅう》をしている。
8 倉《そう》15庫《こ》のかぎを 16係《かかり》の人《ひと》にあずけた。
9 大《おお》きな荷物《にもつ》を運《はこ》ぶ作《さ》17業《ぎょう》をして、息《いき》が 18苦《くる》しくなった。
10 上《じょう》19級《きゅう》生《せい》になっても 20君《きみ》とは友《とも》だちだ。

(一) 漢字の読み

各1点 計30点

グレーの部分は答えのほそくです。

1 にが(い)
2 がっき
3 お(わった)
4 はし
5 おく(る)
6 やきゅう
7 き(め)
8 がっきゅう
9 いいん
10 きゃく

11 しゃくしょ
12 こうふく
13 かる(い)
14 う(った)
15 み
16 つぎ
17 ち
18 やっきょく
19 よてい
20 む(かって)

21 さっきょく
22 ぎんいろ
23 ちゅうい
24 くん
25 そうだん
26 どうぐ
27 ふでばこ
28 ま(ち)
29 かぞく
30 みや

20「風上《かざかみ》」は、風がふいてくる方向のこと。風がふいていく方向のことは「風下《かざしも》」という。

22「雪原《せつげん》」は、一面に雪が降《ふ》り積《つ》もっている広い原っぱのこと。また、高い山などで積もった雪がいつまでも残《のこ》っている地域《いき》のこと。

30「お宮《みや》まいり」は、赤ちゃんの健康《けんこう》を願《ねが》って神社へお参《まい》りする行事のこと。

(二) 書きじゅん

各1点 計10点

1 10
2 4
3 1
4 4
5 2
6 13
7 14
8 11
9 12
10 11

(三) はんたい語

各2点 計10点

グレーの部分は問題のじゅく語です。

1 明《あか》るい ⇔ 暗《くら》い
2 たて書《が》き ⇔ 横《よこ》書《が》き
3 寒《かん》風《ぷう》 ⇔ 温《おん》風《ぷう》
4 地《ち》下《か》室《しつ》 ⇔ 屋《おく》上《じょう》
5 よろこぶ ⇔ 悲《かな》しむ

(四) 同じ部首の漢字

各2点 計20点

グレーの部分は問題と答えのほそくです。

てへん
1 **投**《とう》書《しょ》
2 **指**《ゆび》人《にん》形《ぎょう》

いとへん
3 **緑**《みどり》色《いろ》
4 **細**《ほそ》長《なが》い

さんずい
5 水《すい》**泳**《えい》
6 **流**《りゅう》行《こう》語《ご》

くさかんむり
7 青《あお》**葉**《ば》
8 **荷**《に》馬《ば》車《しゃ》

こころ
9 **急**《きゅう》行《こう》
10 空《くう》**想**《そう》

10「空想《くうそう》」は、実際《じっさい》からかけはなれたことを考えること。

(五) 同じ読みの漢字

各2点／計20点

グレーの部分は問題のじゅく語です。

1 太平《たいへい》
2 （羊《よう》）毛《もう》
1 （洋《よう》）

3 （由《ゆ》）来《らい》
4 石《せき》（油《ゆ》）

5 （方《ほう》）角《がく》
6 （放《ほう》）送《そう》

7 （遊《ゆう》）らん船《せん》
8 （有《ゆう》）力者《りょくしゃ》

9 （陽《よう》）気《き》
10 同《どう》（様《よう》）

3「由来《ゆらい》」は、物事がそうなってきたわけ。

(六) おくりがな

各2点 計10点

1 美《うつく》しい
2 深《ふか》まる
3 助《たす》ける
4 整《ととの》える
5 進《すす》む

2「深《ふか》まる」は、深くなること。

(七) 漢字の読み

各1点 計10点

1 てんこう
2 ころ（げる）
3 せんちゃく
4 き（て）
5 きてき
6 くちぶえ
7 だいきん
8 か（わり）
9 つごう
10 みやこ

1・2は「転」、3・4は「着」、5・6は「笛」、7・8は「代」、9・10は「都」の字の音読み、訓《くん》読みの問題《もんだい》です。

6「口笛」は「くちぶえ」と読みます。

(八) 漢字の書き

各2点 計40点

グレーの部分は問題文です。

1 今日《きょう》は 1 神《じん》社《じゃ》のお 2 祭《まつ》りに行《い》った。
2 親鳥《おやどり》はひなを大《だい》 3 事《じ》に 4 守《まも》ってそだてる。
3 いつでもみがけるように 5 歯《は》ブラシを 6 持《も》っている。
4 お 7 医《い》 8 者《しゃ》さんになって病人《びょうにん》をすくいたい。
5 道《みち》に 9 落《お》ちていたさいふを 10 拾《ひろ》った。
6 毎日《まいにち》ピアノの 11 練《れん》 12 習《しゅう》をしている。
7 大《だい》 13 根《こん》のなえを畑《はたけ》に 14 植《う》えて水《みず》をまいた。
8 ハムスターの 15 命《いのち》は 16 短《みじか》いそうだ。
9 あまりの 17 暑《あつ》さに体《たい》 18 調《ちょう》をくずした。
10 歩《ある》く 19 速《そく》 20 度《ど》を少しゆるめる。

(一) 漢字の読み
各1点 計30点

グレーの部分は答えのほそくです。

1 みずうみ
2 ざけ
3 でんちゅう
4 くうこう
5 はじ(めた)
6 しゅうじ
7 ししゅう
8 じょうず
9 し(んだ)
10 つか(って)

11 ものがたり
12 かな(しい)
13 こんど
14 しんがく
15 しごと
16 しゃせい
17 よき
18 しめい
19 きゅうしゅう
20 じじつ

21 みおく(った)
22 お(ちて)
23 は
24 あつ(めて)
25 しょうきょ
26 あぶら
27 すみ
28 はっせい
29 はな
30 りゅう

2「あまざけ」とにごります。

16「写生《しゃせい》」は、景色《けしき》などの様子を見たまま写し取ること。

17「予期《よき》」は、前もって期待すること。

28「台風《たいふう》」は、夏の終わりから秋にかけて発生する強い風や雨をともなうあらしのこと。

(二) 書きじゅん
各1点 計10点

1 3
2 9
3 7
4 2
5 8

6 12
7 10
8 9
9 10
10 14

(三) はんたい語
各2点 計10点

グレーの部分は問題のじゅく語です。

1 直線《ちょくせん》 ⇔ 曲線《きょくせん》
2 か車《しゃ》 ⇔ 客車《きゃくしゃ》
3 水《みず》 ⇔ 湯《ゆ》
4 ゆっくりと ⇔ 急《いそ》いで
5 前回《ぜんかい》 ⇔ 次回《じかい》

(四) 同じ部首の漢字
各2点 計20点

グレーの部分は問題と答えのほそくです。

こざとへん
1 陽光《ようこう》
2 音階《おんかい》

たけかんむり
3 本箱《ほんばこ》
4 筆先《ふでさき》

しょくへん
5 飲食《いんしょく》
6 体育館《たいいくかん》

うかんむり
7 安物《やすもの》
8 定休日《ていきゅうび》

まだれ
9 金庫《きんこ》
10 家庭《かてい》

1「陽光《ようこう》」は太陽の光のこと。

(五) 同じ読みの漢字

各2点／計20点

グレーの部分は問題のじゅく語です。

1 自《じ》（動《どう》）
2 （童《どう》）話《わ》
3 （寒《かん》）中《ちゅう》
4 （感《かん》）心《しん》
5 （開《かい》）店《てん》
6 世《せ》（界《かい》）
7 船《せん》（員《いん》）
8 大学《だいがく》（院《いん》）
9 歯《は》（医《い》）者《しゃ》
10 （意《い》）見《けん》

4「感心《かんしん》」は、よくやったとおどろくこと。

(六) おくりがな

各2点 計10点

1 投《な》げる
2 短《みじか》い
3 育《そだ》てる
4 登《のぼ》る
5 転《ころ》がる

(七) 漢字の読み

各1点 計10点

1 しんぱい
2 くば(る)
3 へいき
4 たい(らげる)
5 こくばん
6 いた
7 しょうぶ
8 ま(かし)
9 ひょうし
10 おもて

1・2は「配」、3・4は「平」、5・6は「板」、7・8は「負」、9・10は「表」の字の音読み、訓読《くん》みの問題です。

10「表書《おもてが》き」は書類《るい》などの表面に文字を書くこと。またその文字。

(八) 漢字の書き

各2点 計40点

グレーの部分は問題文です。

1 地球《ちきゅう》の 1 温《おん》だん 2 化《か》をふせぐ。
2 ここは 3 昔《むかし》は 4 宿《しゅく》場《ば》町《まち》だった。
3 5 銀《ぎん》行《こう》の通《つう》 6 帳《ちょう》をなくさないよう気《き》をつける。
4 友人《ゆうじん》の 7 住《す》んでいる 8 所《ところ》を調《しら》べる。
5 駅前《えきまえ》の 9 薬《やっ》 10 局《きょく》に立《た》ちよる。
6 高《こう》 11 速《そく》道《どう》 12 路《ろ》の出口《でぐち》はもうすぐだ。
7 父《ちち》の実家《じっか》は 13 農《のう》 14 業《ぎょう》をいとなんでいる。
8 南《みなみ》の海《うみ》に 15 美《うつく》しい 16 島《しま》がうかんでいる。
9 おおみそかだけ 17 深《しん》夜《や》まで 18 起《お》きている。
10 海岸《かいがん》で 19 貝《かい》がらを 20 拾《ひろ》って家《いえ》に持《も》ち帰《かえ》る。

第4回 テスト 答え・かいせつ

問題は本さつ P28～P33

(一) 漢字の読み

各1点 計30点

グレーの部分は答えのほそくです。

1 お(わり)
2 あんき
3 ばんごう
4 せいり
5 みじか(い)
6 ぶんしょう
7 ぜんぶ
8 しょうわ
9 す(んで)
10 こうてい
11 しょくぶつ
12 はたけ
13 しんちょう
14 はや(い)
15 しょうてん
16 たいじゅう
17 びょうどう
18 だいどころ
19 たす(け)
20 すべ(て)
21 ちゅうおう
22 しんりょく
23 いき
24 かんそう
25 みの(る)
26 あらわ(れた)
27 ばい
28 さか
29 くろまめ
30 よこぶえ

5「気《き》が短《みじか》い」は、おこりっぽい性格《せいかく》のたとえ。また、がまん強くないことのたとえ。

11「高山植物《こうざんしょくぶつ》」は、風や太陽からの光が強い山の高いところに生えている植物のこと。

18「だいどころ」とにごります。

22「新緑《しんりょく》」は、春の終わりから夏の始まりごろの、生き生きとした木の葉っぱの緑色のこと。

(二) 書きじゅん

各1点 計10点

1 2
2 8
3 7
4 5
5 5
6 16
7 12
8 9
9 9
10 12

(三) はんたい語

各2点 計10点

グレーの部分は問題のじゅく語です。

1 葉先《はさき》 ⇔ 根元《ねもと》
2 あさい ⇔ 深《ふか》い
3 元気《げんき》 ⇔ 病気《びょうき》
4 客人《きゃくじん》 ⇔ 主人《しゅじん》
5 すてる ⇔ 拾《ひろ》う

(四) 同じ部首の漢字

各2点 計20点

グレーの部分は問題と答えのほそくです。

ぎょうにんべん
1 役《やく》目《め》
2 期《き》待《たい》

ほうへん
3 旅《たび》人《びと》
4 家《か》族《ぞく》

かねへん
5 銀《ぎん》行《こう》
6 鉄《てつ》道《どう》員《いん》

はつがしら
7 登《と》山《ざん》
8 出《しゅっ》発《ぱつ》点《てん》

しめすへん
9 幸《こう》福《ふく》
10 朝《ちょう》礼《れい》

2「期待《きたい》」は、あてにして待《ま》つこと。

(五) 同じ読みの漢字
各2点／計20点

グレーの部分は問題のじゅく語です。

1 王《おう》(宮《きゅう》)
2 (急《きゅう》)用《よう》
3 入《にゅう》(港《こう》)
4 進《しん》行《こう》方《ほう》(向《こう》)
5 多《た》数《すう》(決《けつ》)
6 出《しゅっ》(血《けつ》)
7 (局《きょく》)番《ばん》
8 (曲《きょく》)目《もく》
9 (起《き》)立《りつ》
10 二《に》学《がっ》(期《き》)

6「血」は「皿」とよく似《に》ているので、注意しましょう。

(六) おくりがな
各2点 計10点

1 定《さだ》める
2 反《そ》らす
3 悲《かな》しい
4 泳《およ》ぐ
5 調《しら》べる

2「とくいげ」は、得《とく》意になっている様子。

(七) 漢字の読み
各1点 計10点

1 ようす
2 (お)きゃくさま
3 みかた
4 あじ(わう)
5 ほうすい
6 はな(す)
7 めいちゅう
8 いのち
9 れんしゅう
10 ね(る)

1・2は「様」、3・4は「味」、5・6は「放」、7・8は「命」、9・10は「練」の字の音読み、訓《くん》読みの問題《もんだい》です。

5「放水《ほうすい》」は、水を勢《いきお》いよく出すこと。

(八) 漢字の書き
各2点 計40点

グレーの部分は問題文です。

1 ソフトボールの[1 対《たい》]こう戦《せん》が[2 始《はじ》]まった。
2 [3 投《とう》]手《しゅ》と[4 打《だ》]者《しゃ》のかけひきがおもしろい。
3 [5 湖《みずうみ》]に小《ちい》さな白《しろ》い[6 波《なみ》]がたった。
4 九《きゅう》[7 州《しゅう》]の南《みなみ》には多《おお》くの[8 島《しま》]がある。
5 地《ち》[9 球《きゅう》]は自《じ》[10 転《てん》]している。
6 古《ふる》い[11 柱《はしら》]時《ど》計《けい》が[12 動《うご》]かなくなった。
7 [13 箱《はこ》]の中《なか》でハムスターを[14 育《そだ》]てている。
8 算《さん》数《すう》の[15 問《もん》][16 題《だい》]はやさしかった。
9 [17 勉《べん》]強《きょう》をすませてから[18 遊《あそ》]びにいく。
10 名《な》前《まえ》をよばれたら、「はい」と[19 返《へん》][20 事《じ》]をしよう。

答え・かいせつ

問題は本さつ P34～P39

(一) 漢字の読み

各1点 計30点

グレーの部分は答えのほそくです。

1 やきゅう
2 きたい
3 そくど
4 せんしゅてん
5 ししゅ
6 もう(し)
7 くさぶえ
8 じてんしゃ
9 おうさま
10 のぼ(り)
11 しゅくだい
12 きょくもく
13 ちょうめ
14 しあわ(せ)
15 ひと(しい)
16 はんたい
17 ぎょうれつ
18 かさ(ねる)
19 へいわ
20 りょこう
21 お(い)
22 こおり
23 だいひょう
24 まな(ぶ)
25 お(って)
26 ていいん
27 くら(く)
28 あいて
29 いしゃ
30 ひつじ

4「先取点《せんしゅてん》」は、野球などのスポーツにおいて、相手のチームより先に点を挙《あ》げること。

12「曲目《きょくもく》」は、音楽の曲の名前のこと。また、その曲の名前を書き連《つら》ねたもののこと。

26「定員《ていいん》」は、乗り物などで、安全を考えたうえで乗ることができる人数。

(二) 書きじゅん

各1点 計10点

1 5
2 2
3 4
4 6
5 3
6 11
7 12
8 9
9 14
10 10

(三) はんたい語

各2点 計10点

グレーの部分は問題のじゅく語です。

1 つける ⇔ 消《け》す
2 下《お》りる ⇔ 乗《の》る
3 うそ ⇔ 真《しん》実《じつ》
4 寒《さむ》い ⇔ 暑《あつ》い
5 今《いま》 ⇔ 昔《むかし》

(四) 同じ部首の漢字

各2点 計20点

グレーの部分は問題と答えのほそくです。

いとへん：1 練《れん》習《しゅう》　2 緑《みどり》色《いろ》
ごんべん：3 相《そう》談《だん》　4 調《ちょう》子《し》
おおざと：5 都《と》市《し》　6 部《ぶ》首《しゅ》
うかんむり：7 実《じっ》行《こう》　8 来《らい》客《きゃく》
しんにょう しんにゅう：9 進《しん》歩《ぽ》　10 遊《ゆう》園《えん》地《ち》

5「都市《とし》」は、人が多く集まる文化などの中心地のこと。

(五) 同じ読みの漢字 各2点／計20点

グレーの部分は問題のじゅく語です。

1 目《もく》（次《じ》）
2 用《よう》（事《じ》）
3 （主《しゅ》）人《じん》公《こう》
4 日《に》本《ほん》（酒《しゅ》）
5 （詩《し》）集《しゅう》
6 （指《し》）名《めい》
7 （仕《し》）上《あ》げ
8 （使《し》）用《よう》
9 本《ほん》（州《しゅう》）
10 （集《しゅう》）合《ごう》

2「事」の「亅」は「はねぼう」といいます。

(六) おくりがな 各2点 計10点

1 放《はな》す
2 味《あじ》わう
3 落《お》ちる
4 流《なが》れる
5 苦《くる》しい

4「うわさ」は、はっきりとしない話のこと。

(七) 漢字の読み 各1点 計10点

1 ぜんかい
2 ひら（く）
3 あくい
4 わる（がしこい）
5 おんしつ
6 あたた（めて）
7 かせき
8 ば（け）
9 おくない
10 やまごや

1・2は「開」、3・4は「悪」、5・6は「温」、7・8は「化」、9・10は「屋」の字の音読み、訓《くん》読みの問題です。

10「やまごや」とにごります。

(八) 漢字の書き 各2点 計40点

1 家《いえ》から駅《えき》までの間《あいだ》に[1]急《きゅう》な[2]坂《さか》がある。
2 [3]荷《に》物《もつ》を家《いえ》まで[4]運《はこ》んだ。
3 [5]農《のう》家《か》の人《ひと》が[6]畑《はたけ》をたがやしている。
4 朝《ちょう》[7]礼《れい》は八《はち》時《じ》に[8]始《はじ》まる。
5 牛肉《ぎゅうにく》の[9]鉄《てつ》[10]板《ぱん》やきをごちそうになった。
6 遠足《えんそく》に行《い》ったときの[11]写《しゃ》[12]真《しん》ができた。
7 赤《あか》い[13]洋《よう》[14]服《ふく》の女《おんな》の人《ひと》に出会《であ》った。
8 プレゼントの[15]品《しな》を[16]箱《はこ》に入《い》れた。
9 図《と》書《しょ》[17]館《かん》でグリム[18]童《どう》話《わ》をかりた。
10 長《なが》い[19]橋《はし》をやっとわたり[20]終《お》えた。

グレーの部分は問題文です。

第6回 テスト 答え・かいせつ

問題は本さつ P40〜P45

(一) 漢字の読み

各1点 計30点

グレーの部分は答えのほそくです。

1 もうひつ
2 まごころ
3 のぼ(った)
4 でんぱ
5 さくもつ
6 きんじょ
7 しんぱい
8 ちょうし
9 なんばい
10 ぬし
11 やど(り)
12 びょう
13 しゅっぱつ
14 わふく
15 む(かい)
16 だいめい
17 りゅうひょう
18 さむ(い)
19 たい(ら)
20 じょうとう
21 けがわ
22 そ(らす)
23 らくだい
24 ま(つ)
25 さ(し)
26 いえじ
27 おうきゅう
28 かる(く)
29 けんきゅうしゃ
30 かな(しく)

5「物」の二つの音読み「ブツ・モツ」の読み分けに気をつけましょう。

6「きんじょ」とにごります。

17「流氷《りゅうひょう》」は、寒いところでこおった海の水が、こおっていない海へ流れてくること。

26「家路《いえじ》」は家に帰る道のこと。

(二) 書きじゅん

各1点 計10点

1 5
2 6
3 4
4 9
5 5
6 12
7 6
8 5
9 11
10 10

(三) はんたい語

各2点 計10点

グレーの部分は問題のじゅく語です。

1 自分《じぶん》 ⇔ 他人《たにん》
2 にげる ⇔ 追《お》う
3 いなか ⇔ 都会《とかい》
4 本人《ほんにん》 ⇔ 代理人《だいりにん》
5 こぼす ⇔ 注《そそ》ぐ

(四) 同じ部首の漢字

各2点 計20点

グレーの部分は問題と答えのほそくです。

きへん
1 横《よこ》目《め》
2 柱《はしら》時《ど》計《けい》

さんずい
3 湯《ゆ》気《げ》
4 消《しょう》化《か》

ちから
5 活《かつ》動《どう》
6 勉《べん》強《きょう》

こころ
7 悪《あく》人《にん》
8 同《どう》感《かん》

ひへん
9 曜《よう》日《び》
10 暗《あん》記《き》力《りょく》

8「同感《どうかん》」は、同じように感じること。

(五) 同じ読みの漢字

各2点／計20点

グレーの部分は問題のじゅく語です。

1 （世《せい》）き
2 （整《せい》）理《り》
3 自《じ》（身《しん》）
4 （深《しん》）夜《や》
5 放《ほう》（送《そう》）
6 理《り》（想《そう》）
7 （商《しょう》）売《ばい》
8 記《き》（章《しょう》）
9 全《ぜん》（速《そく》）力《りょく》
10 休《きゅう》（息《そく》）

6「理想《りそう》」は、考えられる一番よい様子のこと。

(六) おくりがな

各2点 計10点

1 運《はこ》ぶ
2 温《あたた》かい
3 開《あ》ける
4 化《ば》かす
5 起《お》きる

3「かん気」は、部屋の空気を入れかえること。

(七) 漢字の読み

各1点 計10点

1 きょねん
2 さ（る）
3 けっしん
4 き（まり）
5 きゅうびょう
6 いそ（ぎ）
7 くしん
8 にが（い）
9 しんきょく
10 ま（がった）

1・2は「去」、3・4は「決」、5・6は「急」、7・8は「苦」、9・10は「曲」の字の音読み、訓《くん》読みの問題です。

(八) 漢字の書き

各2点 計40点

グレーの部分は問題文です。

1 野《の》原《はら》を[1]転《ころ》げ回《まわ》って[2]遊《あそ》んでいる。
2 [3]泳《およ》いで[4]岸《きし》にたどりついた。
3 [5]緑《みどり》色《いろ》の木《こ》の[6]葉《は》が風《かぜ》にゆらいでいる。
4 交通《こうつう》[7]安《あん》[8]全《ぜん》のポスターをかいた。
5 [9]酒《さか》[10]屋《や》さんがビールをはいたつする。
6 クラス[11]委《い》[12]員《いん》になった。
7 入学《にゅうがく》[13]式《しき》であんない[14]係《がかり》をやった。
8 パソコンの[15]部《ぶ》[16]品《ひん》を買《か》ってきた。
9 かろうじて[17]命《いのち》だけは[18]助《たす》かった。
10 おせわになった友《とも》だちの家《か》[19]族《ぞく》にお[20]礼《れい》の手《て》紙《がみ》を書《か》いておくった。

第7回テスト 答え・かいせつ

問題は本さつ P46～P51

(一) 漢字の読み

各1点 計30点

グレーの部分は答えのほそくです。

1 りょうしん
2 へいげん
3 ゆうほどう
4 あぶらえ
5 すみび
6 じゆう
7 いそ(ぎ)
8 じんじゃ
9 ぶんこ
10 ゆ(ざめ)

11 ね(り)
12 ほうめん
13 どうろ
14 しゅくだい
15 けんぶつ
16 こめん
17 りょこう
18 こと
19 やまい
20 がくどう

21 みやこ
22 まめ
23 しら(べる)
24 しょじ
25 お(こされ)
26 の(み)
27 かえ(す)
28 しょちゅう
29 (お)ば(け)
30 ころ(んだ)

10「湯《ゆ》ざめ」は、おふろに入った後に体が冷《ひ》えて寒く感じること。
20「学童《がくどう》」は、小学校で学ぶ子どものこと。
24「所持品《しょじひん》」は自分の持ち物。
28「暑中《しょちゅう》みまい」は、夏の暑い時期に、親しい友人に手紙を送ること。

(二) 書きじゅん

各1点 計10点

1 8
2 4
3 4
4 6
5 3

6 13
7 12
8 12
9 13
10 11

(三) はんたい語

各2点 計10点

グレーの部分は問題のじゅく語です。

1 てい車《しゃ》 ⇔ 発車《はっしゃ》
2 さんせい ⇔ 反対《はんたい》
3 ぬぐ ⇔ 着《き》る
4 勝《か》つ ⇔ 負《ま》ける
5 うらがわ ⇔ 表《おもて》がわ

(四) 同じ部首の漢字

各2点 計20点

グレーの部分は問題と答えのほそくです。

にんべん
1 三《さん》倍《ばい》
2 他《た》人《にん》

さんずい
3 体《たい》温《おん》
4 注《ちゅう》意《い》力《りょく》

のぶん ぼくづくり
5 整《せい》理《り》
6 放《ほう》火《か》

くさかんむり
7 苦《にが》手《て》
8 落《らっ》花《か》生《せい》

しんにょう しんにゅう
9 高《こう》速《そく》
10 運《うん》命《めい》

「にんべん」「さんずい」などは「部首《ぶしゅ》」といいます。

(五) 同じ読みの漢字 各2点／計20点

グレーの部分は問題のじゅく語です。

1 列《れっ》(島《とう》)
2 (登《とう》)校《こう》
3 (題《だい》)名《めい》
4 (第《だい》)一《いち》問《もん》
5 (定《てい》)休《きゅう》日《び》
6 校《こう》(庭《てい》)
7 (帳《ちょう》)面《めん》
8 四《よん》(丁《ちょう》)目《め》
9 予《よ》(習《しゅう》)
10 (終《しゅう》)業《ぎょう》式《しき》

7「帳面《ちょうめん》」は、ノートなど物を書くために紙をとじてつくったもののこと。

(六) おくりがな 各2点 計10点

1 曲《ま》がる
2 配《くば》る
3 集《あつ》まる
4 平《ひら》たい
5 向《む》ける

いずれもよく出る問題《もんだい》です。

(七) 漢字の読み 各1点 計10点

1 しく(み)
2 つか(える)
3 こんき
4 ね
5 しゅしょく
6 おも(な)
7 しめい
8 さ(す)
9 じつぶつ
10 みの(る)

3「根気《こんき》」は、がまん強く続《つづ》ける気力のこと。

4「根《ね》にもつ」は、うらんでいつまでも忘《わす》れないこと。

7「指名《しめい》」は、名指《なざ》しすること。

(八) 漢字の書き 各2点 計40点

グレーの部分は問題文です。

1 今朝《けさ》は池《いけ》に[1]氷《こおり》がはるほど[2]寒《さむ》かった。
2 父《ちち》が外科《げか》[3]医《い》[4]院《いん》をかいぎょうした。
3 [5]薬《くすり》ができるまでしばらく[6]待《ま》たされた。
4 この本《ほん》を読《よ》んでとても[7]感《かん》[8]動《どう》した。
5 [9]昔《むかし》はもののねだんが[10]安《やす》かったそうだ。
6 [11]世《せ》[12]界《かい》一長《いちなが》い川《かわ》はどこにあるのだろう。
7 車道《しゃどう》を[13]横《よこ》切《ぎ》らずに、歩道《ほどう》[14]橋《きょう》をわたろう。
8 みんなの[15]意《い》見《けん》を聞《き》いてから[16]決《き》める。
9 ゆうびん[17]局《きょく》は[18]銀《ぎん》行《こう》のとなりだ。
10 [19]使《つか》った道《どう》[20]具《ぐ》をきちんとかたづける。

問題は本さつ P52～P57

(一) 読み　各1点 計20点

グレーの部分は答えのほそくです。

1 まい(り)
2 こうろうしゃ
3 ち(って)
4 のこ(さず)
5 こころ(みる)
6 おさ(める)
7 ふあん
8 ねんが
9 うしな(う)
10 か(り)

11 しめい
12 いど
13 しかい
14 たね
15 たぐ(い)
16 とうじ
17 しょしんしゃ
18 しゅくじつ
19 じゅん
20 あおな

音読み、訓読みが、半分ずつある問題です。

16「答辞《とうじ》」は、お礼の気持ちを述《の》べる言葉。

17「初心者《しょしんしゃ》」は、習い初めの人。

20「青菜《あおな》に塩《しお》」は、青菜に塩をかけるとくたっとなることから、元気がなくしおれている様子のこと。

(二) 読み　各1点 計10点

グレーの部分は答えのほそくです。

1 がんしょ
2 ねが(い)
3 けっかん
4 くだ
5 たいぐん
6 む(れ)
7 きしゅ
8 はた
9 じょうか
10 しろ

1・2は「願」、3・4は「管」、5・6は「群」、7・8は「旗」、9・10は「城」の音読み、訓読みの問題です。

1「願書《がんしょ》」は、許可《きょか》を得《え》るために差し出す書類のこと。

(三) 漢字えらび　各2点 計20点

グレーの文字は問題とせんたくしの一部です。

1 ア 欠員《けついん》
2 ウ 最中《さいちゅう》
3 イ 良好《りょうこう》
4 ウ 改札《かいさつ》
5 ア 固定《こてい》

6 イ 健康《けんこう》
7 イ 反省《はんせい》
8 ウ 直径《ちょっけい》
9 ア 地帯《ちたい》
10 イ 底面《ていめん》

1「欠員《けついん》」は、足りない人数。

7「反省《はんせい》」は、自分の言動をふり返り考えること。また、改めようと心がけること。

(四) 画数　各1点 計10点

何画目

1	2	3	4	5
3	5	3	3	11

総画数

6	7	8	9	10
8	18	12	13	10

(五) 音読み・訓読み　各2点／計20点

1	2	3	4	5
イ	ア	ア	イ	ア

6	7	8	9	10
イ	イ	ア	イ	ア

(六) 対義語《ぎ》　各2点 計10点

グレーの部分は問題のじゅく語と答えのほそくです。

1 深手《ふかで》⇔浅手《あさで》
2 冷《つめ》たい⇔熱《あつ》い
3 連作《れんさく》⇔輪作《りんさく》
4 受信《じゅしん》⇔発信《はっしん》
5 平等《びょうどう》⇔差別《さべつ》

1「浅」は点がつきます。「浅手《あさで》」は、受けた傷《きず》が浅いこと。

3「輪作《りんさく》」は、同じ畑で一定の期間ごとに、異《こと》なる作物を植えること。

(七) 漢字と送りがな
各2点／計14点

1 老《お》いる
2 連《つら》なる
3 養《やしな》う
4 冷《ひ》やかす
5 浴《あ》びる
6 勇《いさ》ましく
7 満《み》たす

(八) 同じ部首の漢字
各2点 計20点

グレーの部分は問題の一部です。

1 説《せつ》明《めい》
2 放《ほう》課《か》後《ご》
3 相《そう》談《だん》
4 黒《こく》板《ばん》
5 植《しょく》物《ぶつ》
6 根《ね》元《もと》
7 進《しん》路《ろ》
8 追《つい》加《か》
9 速《そく》度《ど》
10 上《じょう》達《たつ》

(九) 同じ読みの漢字
各2点／計16点

グレーの部分は問題の一部です。

1 音《おん》楽《がく》隊《たい》
2 対《たい》立《りつ》
3 配《はい》置《ち》
4 緑《りょく》地《ち》
5 短《たん》命《めい》
6 単《たん》調《ちょう》
7 年《ねん》始《し》
8 記《き》念《ねん》品《ひん》

(十) じゅく語作り
各2点／計20点

グレーの部分は問題とせんたくしの一部です。

1 オ 自信《じしん》
2 イ 信用《しんよう》
3 ア 右折《うせつ》
4 エ 折角《せっかく》
5 ウ 着席《ちゃくせき》
6 イ 席順《せきじゅん》
7 オ 達成《たっせい》
8 ア 成虫《せいちゅう》
9 オ 日照《にっしょう》
10 エ 照明《しょうめい》

(十一) 漢字
各2点 計40点

グレーの部分は答えのほそくです。

1 梅《うめ》
2 必《ひつ》（要《よう》）
3 博《はく》（物《ぶつ》館《かん》）
4 笑《わら》（い声《ごえ》）
5 変《へん》
6 便《たよ》（り）
7 （方《ほう》）法《ほう》
8 （周《しゅう》）辺《へん》
9 （赤《せき》）飯《はん》
10 （週《しゅう》）末《まつ》

11 牧《ぼく》（場《じょう》）
12 岡《おか》（山《やま》県《けん》）
13 包《つつ》（んで）
14 佐《さ》（賀《が》県《けん》）
15 標《ひょう》（本《ほん》）
16 望《のぞ》（む）
17 付《つ》（き物《もの》）
18 敗《やぶ》（れる）
19 夫《おっと》
20 飛《と》（ぶ）

10「週末《しゅうまつ》」の「末」は、1画目よりも2画目を短く書きます。これを反対に書くと「未《み》」という字になります。

15「標本《ひょうほん》」は、動物や植物などを研究のための資料《しりょう》として保存《ほぞん》できるように処理《しょり》を行ったもののこと。

第2回テスト 答え・かいせつ

問題は本さつ P58～P63

(一) 読み　各1点 計20点

グレーの部分は答えのほそくです。

1 て(り)
2 な(り)
3 はぶ(く)
4 きよ(らか)
5 しず(まる)
6 ぎふ
7 つ(み)
8 じしん
9 けっそく
10 だいじん
11 きゃくせき
12 たいせん
13 う(んだ)
14 せんしゅ
15 かんさつ
16 と(く)
17 きょうそう
18 あさ(い)
19 そうこ
20 お(れ)

2「成《な》り行《ゆ》き」は、物事がだんだんと変化していく様子のこと。
10「大臣《だいじん》」は、国の政治《せい》をする高い地位。また、その地位の人。
16「説《と》く」は、よく話して、わからせること。

(二) 読み　各1点 計10点

グレーの部分は答えのほそくです。

1 こうい
2 す(き)
3 きゅうじん
4 もと(める)
5 がいとう
6 まちかど
7 けんざい
8 たてもの
9 かいさつ
10 ふだ

1・2は「好」、3・4は「求」、5・6は「街」、7・8は「建」、9・10は「札」の音読み、訓読みの問題です。

3「求人《きゅうじん》」は、会社などが働く人をさがすこと。

(三) 漢字えらび　各2点 計20点

グレーの文字は問題とせんたくしの一部です。

1 ウ 試食《ししょく》
2 イ 散歩《さんぽ》
3 ア 式辞《しきじ》
4 ウ 種目《しゅもく》
5 ア 初心者《しょしんしゃ》
6 イ 五周《ごしゅう》
7 ウ 合唱《がっしょう》
8 イ 児童《じどう》
9 ア 気候《きこう》
10 イ 関係《かんけい》

1「試食《ししょく》」は、試しに食べること。
3「式辞《しきじ》」は、式で述《の》べるあいさつのこと。

(四) 画数　各1点 計10点

何画目

1 9
2 9
3 4
4 5
5 8

総画数

6 14
7 12
8 5
9 11
10 15

(五) 音読み・訓読み　各2点／計20点

1 イ
2 イ
3 ア
4 イ
5 ア
6 イ
7 イ
8 ア
9 イ
10 ア

(六) 対義語《ぎ》　各2点 計10点

グレーの部分は問題のじゅく語と答えのほそくです。

1 失敗《しっぱい》⇕成功《せいこう》
2 美点《びてん》⇕欠点《けってん》
3 人工《じんこう》⇕天然《てんねん》
4 平和《へいわ》⇕戦争《せんそう》
5 高地《こうち》⇕低地《ていち》

「人工《じんこう》―天然《てんねん》」「平和《へいわ》―戦争《せんそう》」はよく問題に出ます。
3「然」は「犬」の点を書き忘《わす》れたら×です。
4「平和《へいわ》」は、戦いや争いのない状《じょう》態《たい》のこと。

(七) 漢字と送りがな

各2点／計14点

1 静《しず》かな
2 栄《さか》える
3 笑《わら》う
4 加《くわ》える
5 果《は》てる
6 改《あらた》める
7 覚《さ》める

(八) 同じ部首の漢字

各2点 計20点

グレーの部分は問題の一部です。

1 着《ちゃく》陸《りく》
2 隊《たい》長《ちょう》
3 入《にゅう》院《いん》
4 仲《なか》間《ま》
5 一《いち》億《おく》円《えん》
6 便《びん》乗《じょう》
7 節《せつ》分《ぶん》
8 血《けっ》管《かん》
9 筆《ふで》先《さき》
10 計《けい》算《さん》

(九) 同じ読みの漢字

各2点／計16点

グレーの部分は問題の一部です。

1 開《かい》票《ひょう》
2 氷《ひょう》点《てん》下《か》
3 府《ふ》立《りつ》
4 不《ふ》安《あん》
5 福《ふく》引《び》き
6 副《ふく》作《さ》用《よう》
7 水《すい》平《へい》線《せん》
8 水《すい》兵《へい》

(十) じゅく語作り

各2点／計20点

グレーの部分は問題とせんたくしの一部です。

1 オ 海《かい》底《てい》
2 イ 底《そこ》力《ぢから》
3 ア 楽《がく》隊《たい》
4 エ 隊《たい》員《いん》
5 ウ 電《でん》灯《とう》
6 イ 灯《とう》台《だい》
7 オ 食《しょっ》器《き》
8 ウ 器《き》具《ぐ》
9 エ 記《き》念《ねん》
10 ア 念《ねん》力《りき》

(十一) 漢字

各2点 計40点

グレーの部分は答えのほそくです。

1 (道《どう》)徳《とく》
2 約《やく》
3 無《な》(い)
4 養《やしな》(う)
5 利《り》
6 (必《ひっ》)要《よう》
7 類《たぐ》(い)
8 浴《あ》(びせる)
9 (配《はい》)達《たつ》
10 輪《わ》
11 録《ろく》(音《おん》)
12 料《りょう》(理《り》)
13 (号《ごう》)令《れい》
14 民《みん》(宿《しゅく》)
15 連《つら》(なって)
16 陸《りっ》(橋《きょう》)
17 老《お》(いて)
18 勇《いさ》(んで)
19 未《み》(定《てい》)
20 冷《ひ》(や)

3「無《な》い物《もの》ねだり」は、そこに無いものを無理をいって欲《ほ》しがること。実現《げん》が難《むずか》しいものを求めること。

4「養」の字は、1画1画正しく書きましょう。

19「未」は1画目よりも2画目を長く書きましょう。

問題は本さつ P64〜P69

(一) 読み

各1点 計20点

グレーの部分は答えのほそくです。

1 もんとう
2 お(く)
3 なかま
4 ひく(め)
5 そこ
6 まと
7 とざんたい
8 じょうたつ
9 かなめ
10 たんちょう
11 つと(める)
12 ひこうき
13 はたら(く)
14 ぜんちょう
15 やさい
16 なし
17 じょうもん
18 じてん
19 とほ
20 おび

9「要《かなめ》」は、物事において、最も大事な部分・役割《わり》のこと。

10「単調《たんちょう》」は、変化があまりなく、一本調子であること。

14「前兆《ぜんちょう》」は、まえぶれ。

(二) 読み

各1点 計10点

グレーの部分は答えのほそくです。

1 しちゃく
2 こころ(みる)
3 ちあん
4 なお(った)
5 しょうちくばい
6 まつばやし
7 とうしょ
8 はじ(めて)
9 しっしん
10 うしな(った)

1・2は「試」、3・4は「治」、5・6は「松」、7・8は「初」、9・10は「失」の音読み、訓読みの問題。

7「当初《とうしょ》」は、そのことの初め。

9「失神《しっしん》」は、気を失う。

(三) 漢字えらび

各2点 計20点

グレーの文字は問題とせんたくしの一部です。

1 ウ 信用《しんよう》
2 ア 安静《あんせい》
3 イ 全然《ぜんぜん》
4 ア 面積《めんせき》
5 イ 戦争《せんそう》
6 ウ 右折《うせつ》
7 イ 約束《やくそく》
8 イ 日照《にっしょう》
9 ア 両側《りょうがわ》
10 ウ 公害《こうがい》

10「公害《こうがい》」は、工場などから出るけむりなどによって、人の命や健康が害されたりすること。

(四) 画数

各1点 計10点

何画目
1 4
2 3
3 4
4 7
5 13

総画数
6 16
7 15
8 9
9 11
10 9

(五) 音読み・訓読み

各2点／計20点

1 ア
2 ア
3 イ
4 ア
5 イ
6 ア
7 イ
8 イ
9 イ
10 ア

(六) 対義語

各2点 計10点

グレーの部分は問題のじゅく語と答えのほそくです。

1 悪化《あっか》⇔好転《こうてん》
2 安心《あんしん》⇔心配《しんぱい》
3 泣《な》く⇔笑《わら》う
4 真水《まみず》⇔塩《しお》(潮)水《みず》
5 他人《たにん》⇔親類《しんるい》

1「悪化《あっか》」は、悪くなること。「好《こう》転《てん》」は、よいほうに向かうこと。

4「潮水《しおみず》」は、海の水のこと。「潮」は5級配当の漢字ですが、常用《じょう》漢字なので正解《かい》になります。

(七) 漢字と送りがな
各2点／計14点

1 願《ねが》う
2 熱《あつ》い
3 求《もと》める
4 敗《やぶ》れる
5 群《む》れる
6 挙《あ》げる
7 曲《ま》がる

(八) 同じ部首の漢字
各2点 計20点

グレーの部分は問題の一部です。

1 有《ゆう》利《り》
2 副《ふく》菜《さい》
3 区《く》別《べつ》
4 固《こ》体《たい》
5 動《どう》物《ぶつ》園《えん》
6 回《かい》転《てん》
7 漁《ぎょ》業《ぎょう》
8 遠《とお》浅《あさ》
9 入《にゅう》浴《よく》
10 清《せい》書《しょ》

(九) 同じ読みの漢字
各2点／計16点

グレーの部分は問題の一部です。

1 打《だ》楽《がっ》器《き》
2 季《き》語《ご》
3 目《もく》礼《れい》
4 実《じつ》例《れい》
5 万《まん》年《ねん》
6 満《まん》員《いん》
7 老《ろう》後《ご》
8 心《しん》労《ろう》

(十) じゅく語作り
各2点／計20点

グレーの部分は問題とせんたくしの一部です。

1 エ 伝票《でんぴょう》
2 ア 票決《ひょうけつ》
3 オ 日付《ひづけ》
4 ウ 付録《ふろく》
5 イ 無敗《むはい》
6 エ 敗者《はいしゃ》
7 オ 方法《ほうほう》
8 ア 法王《ほうおう》
9 ウ 水兵《すいへい》
10 イ 兵隊《へいたい》

(士) 漢字
各2点 計40点

グレーの部分は答えのほそくです。

1 愛《あい》（鳥《ちょう》）
2 衣《い》（服《ふく》）
3 埼《さい》（玉《たま》県《けん》）
4 印《しるし》
5 栄《さか》（える）
6 （器《き》）械《かい》
7 以《い》（内《ない》）
8 （金《きん》）貨《か》
9 英《えい》（語《ご》）
10 位《くらい》
11 散《さん》（歩《ぽ》）
12 加《くわ》（わる）
13 （一《いち》）億《おく》（円《えん》）
14 冷《れい》（夏《か》）
15 果《は》（たす）
16 （日《にっ》）課《か》
17 改《あらた》（める）
18 覚《さ》（ます）
19 芽《め》（生《ば》える）
20 案《あん》（ずる）

6「器械《きかい》」の「械」は点つきです。

16「日課《にっか》」は、毎日決めてする仕事。

17「改《あらた》める」は、行動などを見直すことで、物事を良くすること。また、新しくすること。

問題は本さつ P70～P75

(一) 読み
各1点 計20点

グレーの部分は答えのほそくです。

1 ふし
2 はくぶつかん
3 ほうちょう
4 と(ばした)
5 かなら(ず)
6 のぞ(む)
7 つ(ける)
8 とちぎ
9 とくべつ
10 とうひょう
11 む(れ)
12 もくひょう
13 や(き)
14 しぜん
15 ふりつ
16 か(わり)
17 ほうほう
18 へいたい
19 ふべん
20 めし

1「節《ふし》」は、歌などのメロディーのこと。

19「不便《ふべん》」の「不」は、下につく字の意味を打ち消します。

20「同《おな》じかまの飯《めし》を食《く》う」は、いっしょに生活をすることで親しく暮《く》らすこと。

(二) 読み
各1点 計10点

グレーの部分は答えのほそくです。

1 けっそく
2 たば(ねる)
3 ぞっこう
4 つづ(いて)
5 せんべつ
6 えら(ばれた)
7 せんそう
8 あらそ(って)
9 そうこ
10 くら

1・2は「束」、3・4は「続」、5・6は「選」、7・8は「争」、9・10は「倉」の音読み、訓読みの問題です。

1「結束《けっそく》」は、まとまりのないものを一つにすること。

(三) 漢字えらび
各2点 計20点

グレーの文字は問題とせんたくしの一部です。

1 イ 包帯《ほうたい》
2 ア 伝言《でんごん》
3 イ 単調《たんちょう》
4 ウ 労働《ろうどう》
5 ウ 海軍《かいぐん》
6 イ 海底《かいてい》
7 ウ 灯油《とうゆ》
8 ア 位置《いち》
9 ウ 貨物《かもつ》
10 ア 農夫《のうふ》

2「伝言《でんごん》」は、ことづけ、ことづて。

9「貨物《かもつ》」は、貨車や船などで運ばれる大きめの荷物のこと。

(四) 画数
各1点 計10点

何画目		総画数	
1	7	6	7
2	5	7	8
3	4	8	15
4	6	9	13
5	6	10	10

(五) 音読み・訓読み
各2点／計20点

1 イ
2 ア
3 ア
4 イ
5 ア
6 イ
7 イ
8 ア
9 ア
10 イ

(六) 対義語《ぎ》
各2点 計10点

グレーの部分は問題のじゅく語と答えのほそくです。

1 向上《こうじょう》⇔低下《ていか》
2 気体《きたい》⇔固体《こたい》
3 活動《かつどう》⇔休養《きゅうよう》
4 遠方《えんぽう》⇔近辺《きんぺん》
5 主食《しゅしょく》⇔副食《ふくしょく》

よく出る問題ばかりです。

2「気体《きたい》」は、物が特定の形や体積を持たない様子のこと。「固体《こたい》」は、物が特定の形や体積を持っている様子のこと。

5「副食《ふくしょく》」は、おかずのこと。

(七) 漢字と送りがな
各2点／計14点

1 欠《か》ける
2 結《むす》ぶ
3 建《た》てる
4 冷《つめ》たい
5 好《この》み
6 伝《つた》える
7 関《かか》わる

(八) 同じ部首の漢字
各2点 計20点

グレーの部分は問題の一部です。

1 半《はん》径《けい》
2 徒《と》歩《ほ》
3 道《どう》徳《とく》
4 前《ぜん》兆《ちょう》
5 育《いく》児《じ》
6 月《げっ》光《こう》
7 入《にゅう》梅《ばい》
8 材《ざい》木《もく》
9 名《な》札《ふだ》
10 極《きょく》力《りょく》

(九) 同じ読みの漢字
各2点／計16点

グレーの部分は問題の一部です。

1 商《しょう》店《てん》街《がい》
2 害《がい》
3 面《めん》積《せき》
4 空《くう》席《せき》
5 各《かく》自《じ》
6 味《み》覚《かく》
7 完《かん》成《せい》
8 器《き》官《かん》

(十) じゅく語作り
各2点／計20点

グレーの部分は問題とせんたくしの一部です。

1 エ 不《ふ》利《り》
2 イ 利《り》口《こう》
3 オ 交《こう》差《さ》
4 ア 差《さ》別《べつ》
5 ウ 重《じゅう》要《よう》
6 イ 要《よう》望《ぼう》
7 エ 人《じん》類《るい》
8 ア 類《るい》語《ご》
9 ウ 無《む》料《りょう》
10 オ 料《りょう》金《きん》

(十一) 漢字
各2点 計40点

グレーの部分は答えのほそくです。

1 管《くだ》
2 観《かん》(光《こう》)
3 鏡《かがみ》
4 共《とも》(働《ばたら》き)
5 (福《ふく》)井《い》(県《けん》)
6 季《き》(節《せつ》)
7 沖《おき》(縄《なわ》県《けん》)
8 (祝《しゅく》)賀《が》(会《かい》)
9 器《き》(用《よう》)
10 挙《あ》(げる)
11 願《ねが》(い)
12 機《き》(会《かい》)
13 (会《かい》)議《ぎ》
14 求《もと》(める)
15 給《きゅう》(油《ゆ》)
16 旗《はた》
17 残《ざん》(業《ぎょう》)
18 選《えら》(ぶ)
19 協《きょう》(力《りょく》)
20 泣《な》(く)

2「観」と3「鏡」の「儿」は上にはねます。

8「祝賀会《しゅくがかい》」は、出来事や記念などを祝う会合。

12「機」、13「議」、14「求」の字には点がつきます。点を書き忘《わす》れたら×です。

15「給油《きゅうゆ》」は、自動車などに燃《ねん》料をほ給すること。

問題は本さつ P76～P81

(一) 読み 各1点 計20点

グレーの部分は答えのほそくです。

1 み(ち)
2 な(い)
3 いさ(んで)
4 やしな(う)
5 そうこ
6 よ(い)
7 みかんせい
8 みんか
9 はか(る)
10 よやく
11 ようてん
12 わ
13 りよう
14 さ(めた)
15 たいりく
16 れい
17 りょうきん
18 しょるい
19 めいれい
20 ねん

7「未完成《みかんせい》」の「未」の字には、「まだ…しない。まだ…でない。」の意味があります。
11「要点《ようてん》」は、大切なところ。
15「大陸《たいりく》」は、ここでは中国のこと。
20「念《ねん》には念《ねん》を入れよ」は、何度も注意したうえでなお注意をすること。

(二) 読み 各1点 計10点

グレーの部分は答えのほそくです。

1 どりょく
2 つと(める)
3 へいねつ
4 あつ(い)
5 もくてき
6 まと
7 かいてい
8 そこ
9 ろうどう
10 はたら(いて)

「努」、「熱」、「的」、「底」、「働」のそれぞれの音読み、訓読みの問題です。
8「底知《そこし》れない」は、限度《げん》がわからないこと。

(三) 漢字えらび 各2点 計20点

グレーの文字は問題とせんたくしの一部です。

1 イ 飛行機《ひこうき》
2 ウ 夕飯《ゆうはん》
3 ア 付近《ふきん》
4 ウ 大変《たいへん》
5 イ 目標《もくひょう》
6 ア 梅雨《ばいう》
7 ウ 包丁《ほうちょう》
8 ア 副会長《ふくかいちょう》
9 ウ 競争《きょうそう》
10 イ 機会《きかい》

6「梅雨前線《ばいうぜんせん》」は、5月から7月にかけて発生する日本を南から北へ北上する前線のこと。

(四) 画数 各1点 計10点

何画目

1	2	3	4	5
4	4	6	6	3

総画数

6	7	8	9	10
12	7	14	13	20

(五) 音読み・訓読み 各2点／計20点

1	2	3	4	5
ア	ア	イ	ア	イ

6	7	8	9	10
イ	ア	イ	イ	ア

(六) 対義語《ぎ》 各2点 計10点

グレーの部分は問題のじゅく語と答えのほそくです。

1 全勝《ぜんしょう》⇔全敗《ぜんぱい》
2 期待《きたい》⇔失望《しつぼう》
3 年始《ねんし》⇔年末《ねんまつ》
4 千秋楽《せんしゅうらく》⇔初日《しょにち》
5 運動《うんどう》⇔静止《せいし》

2「失望《しつぼう》」は、望みを失うこと。期待がはずれがっかりすること。
4「千秋楽《せんしゅうらく》」は、しばいやすもうなどの最後《さいご》の日のこと。「初」を「初」と書きまちがえやすい。

(七) 漢字と送りがな
各2点／計14点

1 参《まい》る
2 唱《とな》える
3 散《ち》らす
4 残《のこ》す
5 試《こころ》みる
6 低《ひく》い
7 失《うしな》う

(八) 同じ部首の漢字
各2点 計20点

グレーの部分は問題の一部です。

1 続《ぞく》出《しゅつ》
2 給《きゅう》食《しょく》
3 終《しゅう》結《けつ》
4 番《ばん》号《ごう》順《じゅん》
5 念《ねん》願《がん》
6 宿《しゅく》題《だい》
7 公《こう》害《がい》
8 考《こう》察《さつ》
9 外《がい》交《こう》官
10 安《あん》全《ぜん》

(九) 同じ読みの漢字
各2点／計16点

グレーの部分は問題の一部です。

1 金《きん》魚《ぎょ》
2 漁《ぎょ》村《そん》
3 局《きょく》所《しょ》
4 北《ほっ》極《きょく》星《せい》
5 君《くん》主《しゅ》
6 訓《くん》辞《じ》
7 軍《ぐん》配《ばい》
8 郡《ぐん》部《ぶ》

(十) じゅく語作り
各2点／計20点

グレーの部分は問題とせんたくしの一部です。

1 エ 実印《じついん》
2 ア 印肉《いんにく》
3 オ 白衣《はくい》
4 エ 衣服《いふく》
5 ウ 銀貨《ぎんか》
6 イ 貨車《かしゃ》
7 ア 市街《しがい》
8 オ 街角《まちかど》
9 イ 答案《とうあん》
10 ウ 案内《あんない》

(十一) 漢字
各2点 計40点

グレーの部分は答えのほそくです。

1 昨《さく》(夜《や》)
2 (宮《みや》)崎《ざき》(県《けん》)
3 (木《もく》)材《ざい》
4 (白《はく》)菜《さい》
5 刷《す》(って)
6 欠《けっ》(点《てん》)
7 札《ふだ》
8 氏《し》(名《めい》)
9 最《もっと》(も)
10 差《さ》(し)
11 (天《てん》)候《こう》
12 熊《くま》(手《で》)
13 (成《せい》)功《こう》
14 好《この》(んで)
15 (実《じっ》)験《けん》
16 固《かた》(く)
17 健《けん》(康《こう》)
18 建《た》(つ)
19 (手《しゅ》)芸《げい》
20 老《お》(い)

10「朝日が指しこむ」とは書きません。

20「老《お》いては子《こ》にしたがえ」は、年をとって老人となったならば、意地をはらずに素《す》直に子どもに従《したが》ったほうがよいということ。

問題は本さつ P82～P87

(一) 読み

各1点 計20点

グレーの部分は答えのほそくです。

1 かんぜん
2 にいがた
3 しるし
4 さか(えて)
5 めいあん
6 のうさぎょう
7 かくじ
8 いぜん
9 くわ(わった)
10 あらそ(い)
11 は(たす)
12 いくえい
13 め
14 おくまん
15 ひゃっかてん
16 あらた(まった)
17 ほうかご
18 まち
19 きかい
20 しお

5「名案《めいあん》」は、いい思いつき。

7「各自《かくじ》」は、一人一人。

20「敵《てき》に塩《しお》を送る」は、争っている相手に対して、対立している物事以外の分野では、相手を助けるための行動をすること。

(二) 読み

各1点 計10点

グレーの部分は答えのほそくです。

1 びんじょう
2 たよ(り)
3 いちぼう
4 のぞ(める)
5 しまつ
6 すえ
7 へんか
8 か(わった)
9 べつじん
10 わか(れる)

1「便乗《びんじょう》」は、他人の乗り物にただで乗せてもらうこと。また、うまく機会をとらえて利用すること。

(三) 漢字えらび

各2点 計20点

グレーの文字は問題とせんたくしの一部です。

1 ウ 勇気《ゆうき》
2 ア 先約《せんやく》
3 イ 有利《ゆうり》
4 ウ 分量《ぶんりょう》
5 イ 例《れい》
6 ア 要点《ようてん》
7 イ 不良《ふりょう》
8 ウ 休養《きゅうよう》
9 ア 選手《せんしゅ》
10 ウ 単位《たんい》

2「先約《せんやく》」は、先にした約束。

4イの「料」は×。

6「要点《ようてん》」は、物事の重要なかしょのこと。

(四) 画数

各1点 計10点

何画目	
1	4
2	9
3	4
4	2
5	7

総画数	
6	12
7	11
8	12
9	14
10	15

(五) 音読み・訓読み

各2点／計20点

1	イ
2	ア
3	ア
4	イ
5	ア
6	イ
7	ア
8	ア
9	ア
10	イ

(六) 対義語《ぎ》

各2点 計10点

グレーの部分は問題のじゅく語と答えのほそくです。

1 海洋《かいよう》⇔大陸《たいりく》
2 民有《みんゆう》⇔官有《かんゆう》
3 出席《しゅっせき》⇔欠席《けっせき》
4 完勝《かんしょう》⇔完敗《かんぱい》
5 受取人《うけとりにん》⇔差出人《さしだしにん》

2「民有《みんゆう》」は、民間の人が所有していること。「官有」は、政《せい》府が所有していること。

5「差出人」は、「さしだしにん」と読みます。

(七) 漢字と送りがな
各2点／計14点

1 働《はたら》く
2 省《はぶ》く
3 戦《たたか》う
4 静《しず》かな
5 積《つ》もる
6 折《お》れる
7 続《つづ》ける

(八) 同じ部首の漢字
各2点 計20点

グレーの部分は問題の一部です。

1 録《ろく》音《おん》
2 鏡《きょう》台《だい》
3 鉄《てつ》橋《きょう》
4 首《しゅ》府《ふ》
5 谷《たに》底《ぞこ》
6 車《しゃ》庫《こ》
7 無《む》口《くち》
8 照《しょう》明《めい》
9 自《し》然《ぜん》
10 熱《ねっ》中《ちゅう》

(九) 同じ読みの漢字
各2点／計16点

グレーの部分は問題の一部です。

1 直《ちょっ》径《けい》
2 図《ず》形《けい》
3 関《かん》係《けい》
4 景《けい》品《ひん》
5 幸《こう》福《ふく》
6 健《けん》康《こう》
7 出《しゅっ》血《けつ》
8 結《けっ》末《まつ》

(十) じゅく語作り
各2点／計20点

グレーの部分は問題とせんたくしの一部です。

1 ウ 空《くう》軍《ぐん》
2 ア 軍《ぐん》手《て》
3 エ 悲《ひ》観《かん》
4 オ 観《かん》察《さつ》
5 オ 配《はい》給《きゅう》
6 イ 給《きゅう》料《りょう》
7 イ 協《きょう》議《ぎ》
8 ア 議《ぎ》長《ちょう》
9 ウ 出《しゅつ》漁《りょう》
10 エ 漁《ぎょ》村《そん》

(十一) 漢字
各2点 計40点

グレーの部分は答えのほそくです。

1 焼《や》(く)
2 (滋《し》)賀《が》(県《けん》)
3 唱《とな》(える)
4 失《うしな》(う)
5 順《じゅん》(調《ちょう》)
6 参《まい》(り)
7 辞《じ》(書《しょ》)
8 児《じ》(童《どう》)
9 (全《ぜん》)治《ち》
10 初《はじ》(め)
11 残《のこ》(さず)
12 祝《いわ》(う)
13 氏《し》(名《めい》)
14 周《まわ》(り)
15 沖《おき》(合《あ》い)
16 種《しゅ》(類《るい》)
17 察《さっ》(知《ち》)
18 借《か》(りる)
19 (農《のう》)産《さん》(物《ぶつ》)
20 笑《わら》(う)

5「順調《じゅんちょう》」は、物事が期待や予想通りに失敗などなく進むこと。

20「目《め》くそ鼻《はな》くそを笑《わら》う」は、自分の欠点には気づかず、他人の同じような欠点を笑うこと。

第7回テスト 答え・かいせつ

問題は本さつ P88～P93

(一) 読み 各1点 計20点

グレーの部分は答えのほそくです。

1 きょうりょく
2 かか(わる)
3 ねが(う)
4 なら
5 はた
6 もと(めて)
7 な(き)
8 さんかん
9 のぞ(み)
10 しき
11 たいりょう
12 じんとく
13 あ(げて)
14 かき
15 とも
16 ひこうき
17 ぎいん
18 きゅうしょく
19 ぎょぎょう
20 かがみ

12「人徳《じんとく》」は、その人のもっている道徳的にすぐれた人格のこと。

20「目《め》は心《こころ》の鏡《かがみ》」は、目はその人の心を表す鏡のようなものであるということ。そのため、目を見ればその人の気持ちもよくわかるということ。

(二) 読み 各1点 計10点

グレーの部分は答えのほそくです。

1 さんりん
2 わ
3 りょうやく
4 よ(い)
5 れいき
6 つめ(たい)
7 ろうか
8 お(いた)
9 れんめい
10 つ(れて)

3「良薬《りょうやく》は口《くち》に苦《にが》し」は、よく効《き》く薬は苦くて飲みにくいように、身のためになる忠告《ちゅうこく》は聞くのがつらいという意味。

9「連名《れんめい》」は、二つ以上の名前を並《なら》べて書くこと。

(三) 漢字えらび 各2点 計20点

グレーの文字は問題とせんたくしの一部です。

1 イ 有害物《ゆうがいぶつ》
2 ア 食塩《しょくえん》
3 ウ 上位《じょうい》
4 イ 金貨《きんか》
5 ウ 案内《あんない》
6 ア 印《いん》かん
7 ウ 完全《かんぜん》
8 イ 自覚《じかく》
9 ウ 司会《しかい》
10 ア 変化《へんか》

9「司会《しかい》」は、会合などの進行を行う人のこと。

(四) 画数 各1点 計10点

何画目

1 8
2 4
3 5
4 7
5 3

総画数

6 5
7 10
8 12
9 13
10 14

(五) 音読み・訓読み 各2点／計20点

1 ア
2 イ
3 イ
4 ア
5 イ
6 ア
7 ア
8 イ
9 イ
10 ア

(六) 対義語 各2点 計10点

グレーの部分は問題のじゅく語と答えのほそくです。

1 結果《けっか》⇕動機《どうき》
2 休息《きゅうそく》⇕労働《ろうどう》
3 来年《らいねん》⇕昨年《さくねん》
4 共通《きょうつう》⇕特有《とくゆう》
5 入学《にゅうがく》⇕卒業《そつぎょう》

1「動機《どうき》」は、人が行動を起こすときに、その原因《いん》となるもののこと。

3「来年《らいねん》」の対義語《ぎ》には、「前年《ぜんねん》」や「去年《きょねん》」もあります。

（七）漢字と送りがな

各2点／計14点

1 帯《お》びる
2 低《ひく》い
3 伝《つた》わる
4 努《つと》める
5 借《か》りる
6 量《はか》る
7 争《あらそ》う

（八）同じ部首の漢字

各2点 計20点

グレーの部分は問題の一部です。

1 内《うち》側《がわ》
2 健《けん》康《こう》
3 天《てん》候《こう》
4 速《そく》度《ど》
5 運《うん》動《どう》
6 発《はっ》達《たつ》
7 改《かい》正《せい》
8 散《さん》歩《ぽ》
9 勝《しょう》敗《はい》
10 整《せい》理《り》

（九）同じ読みの漢字

各2点／計16点

グレーの部分は問題の一部です。

1 予《よ》算《さん》
2 国《こく》産《さん》
3 軍《ぐん》手《て》
4 群《ぐん》馬《ま》県《けん》
5 年《ねん》賀《が》
6 発《はつ》芽《が》
7 記《き》章《しょう》
8 松《しょう》竹《ちく》梅《ばい》

（十）じゅく語作り

各2点／計20点

グレーの部分は問題とせんたくしの一部です。

1 オ 勝《しょう》利《り》
2 エ 利《り》用《よう》
3 ウ 取《しゅ》材《ざい》
4 ア 材《ざい》料《りょう》
5 エ 交《こう》差《さ》
6 イ 差《さ》別《べつ》
7 オ 夜《や》景《けい》
8 イ 景《けい》品《ひん》
9 ウ 完《かん》結《けつ》
10 ア 結《けっ》局《きょく》

（士）漢字

各2点 計40点

グレーの部分は答えのほそくです。

1 （神《か》）奈《な》（川《がわ》県《けん》）
2 （大《だい》）臣《じん》
3 照《て》（り）
4 選《えら》（び）
5 信《しん》（号《ごう》）
6 省《はぶ》（く）
7 席《せき》
8 清《きよ》（らか）
9 （当《とう》）然《ぜん》
10 積《つ》（み）
11 卒《そつ》（業《ぎょう》式《しき》）
12 説《せつ》（明《めい》書《しょ》）
13 折《お》（り）
14 （約《やく》）束《そく》
15 続《つづ》（き）
16 静《せい》（電《でん》気《き》）
17 側《そく》（面《めん》）
18 巣《す》
19 戦《たたか》（う）
20 浅《あさ》（い）

9「然」、19「戦」、20「浅」の字には点があります。

20「浅《あさ》い川《かわ》も深《ふか》く渡《わた》れ」は、底の浅い川であっても、底の深い川を渡るように気をつけなさいということ。注意深く行動するように他者に注意をうながす言葉。

(一) 読み　各1点 計20点

グレーの部分は答えのほそくです。

1 かがわ
2 か(けた)
3 むす(び)
4 た(つ)
5 かた(める)
6 もくざい
7 はんけい
8 ふうけい
9 げい
10 えひめ
11 でんらい
12 じゅけん
13 さ(し)
14 りょうり
15 まわ(り)
16 てんこう
17 もっと(も)
18 あんせい
19 けんこう
20 す(き)

3「結《むす》び」は、ここではしめくくりのこと。

20「好《す》きこそものの上手《じょうず》なれ」とは、その人が好きでやっていることは上達も早いということ。

(二) 読み　各1点 計10点

グレーの部分は答えのほそくです。

1 はつが
2 め(ぶく)
3 えんぶん
4 しお
5 ついか
6 くわ(える)
7 せいか
8 は(たして)
9 じかく
10 おぼ(える)

1「発芽《はつが》」は、植物の種などから新しく芽が出る様子のこと。

9「自覚《じかく》」は、自分自身についてはっきりと知ること。

(三) 漢字えらび　各2点 計20点

グレーの文字は問題とせんたくしの一部です。

1 イ 水道管《すいどうかん》
2 ウ 協力《きょうりょく》
3 ア 四季《しき》
4 ア 関心《かんしん》
5 ウ 北極星《ほっきょくせい》
6 イ 旗手《きしゅ》
7 イ 給食《きゅうしょく》
8 ウ 楽器《がっき》
9 ウ 説明書《せつめいしょ》
10 イ 冷静《れいせい》

3「四季《しき》」は、春、夏、秋、冬の4つあるそれぞれの季節をまとめて呼《よ》ぶときに使われる呼び方のこと。

(四) 画数　各1点 計10点

何画目
1 1
2 8
3 8
4 2
5 9

総画数
6 14
7 13
8 13
9 15
10 14

(五) 音読み・訓読み　各2点／計20点

1 ア
2 イ
3 ア
4 ア
5 イ
6 ア
7 ア
8 イ
9 ア
10 ア

(六) 対義《ぎ》語　各2点 計10点

グレーの部分は問題のじゅく語と答えのほそくです。

1 敗北《はいぼく》⇔勝利《しょうり》
2 放火《ほうか》⇔失火《しっか》
3 発病《はつびょう》⇔完治《かんち》
4 無学《むがく》⇔博学《はくがく》
5 固定《こてい》⇔変動《へんどう》

2「失火《しっか》」は、思わぬ不注意によって火事を起こすこと。「放火《ほうか》」は、火事を起こす目的で火をつけること。

4「博」は点つきに注意しましょう。

(七) 漢字と送りがな
各2点／計14点

1 清《きよ》い
2 飛《と》ばす
3 必《かなら》ず
4 付《つ》ける
5 別《わか》れる
6 辺《あた》り
7 照《て》れる

(八) 同じ部首の漢字
各2点 計20点

グレーの部分は問題の一部です。

1 面《めん》積《せき》
2 種《しゅ》目《もく》
3 一《いち》秒《びょう》間《かん》
4 願《がん》書《しょ》
5 先《せん》頭《とう》
6 横《よこ》顔《がお》
7 労《ろう》働《どう》
8 追《つい》加《か》
9 勇《ゆう》気《き》
10 努《ど》力《りょく》

(九) 同じ読みの漢字
各2点／計16点

グレーの部分は問題の一部です。

1 成《せい》長《ちょう》
2 反《はん》省《せい》
3 相《そう》談《だん》
4 戦《せん》争《そう》
5 感《かん》想《そう》文《ぶん》
6 倉《そう》庫《こ》
7 農《のう》村《そん》
8 子《し》孫《そん》

(十) じゅく語作り
各2点／計20点

グレーの部分は問題とせんたくしの一部です。

1 イ 手《て》順《じゅん》
2 エ 順《じゅん》番《ばん》
3 オ 国《こく》産《さん》
4 ア 産《さん》科《か》
5 エ 行《ぎょう》司《じ》
6 ウ 司《し》会《かい》
7 オ 入《にゅう》浴《よく》
8 ウ 浴《よく》室《しつ》
9 ア 日《にっ》参《さん》
10 イ 参《さん》考《こう》

(十一) 漢字
各2点 計40点

グレーの部分は答えのほそくです。

1 仲《なか》（良《よ》し）
2 覚《おぼ》（える）
3 鹿《しか》
4 （目《もく》）標《ひょう》
5 徳《とく》（島《しま》県《けん》）
6 働《はたら》（いて）
7 節《せつ》（分《ぶん》）
8 残《ざん》（念《ねん》）
9 的《まと》
10 （一《いっ》）兆《ちょう》（円《えん》）
11 低《ひく》（く）
12 （大《おお》阪《さか》）城《じょう》
13 置《お》（き）
14 群《ぐん》（生《せい》）
15 帯《お》（びて）
16 （祭《さい》）典《てん》
17 （生《せい》）徒《と》（会《かい》）
18 底《そこ》
19 牧《ぼく》（場《じょう》）
20 灯《とう》（台《だい》）

1「中よし」は×です。

16「祭典」は、大がかりで、はなやかな行事のこと。札幌《さっぽろ》の雪の祭典は「さっぽろ雪まつり」といわれ、毎年開かれている。

20「灯台《とうだい》もと暗《くら》し」は、身近な物事はかえって見落としやすいということ。

矢じるしの方向に引くと別冊の答えが外れます…→